KB213422

의사로서 겪는
현실적인 고민과 갈등,
그리고 공감

그렇게 죽을 환자는
아니었는데

김정근 (닥터)지음

추천사

　병원은 많은 사람들이 본인들의 이야기를 풀어놓는 곳입니다. 의학용어로 History taking이라고 부르고 이를 통해 의사들은 환자들이 아픈 이유에 대해 실마리를 찾아나아 갑니다.

　그 과정에서 누군가의 삶을 이해하고 또한 환자들 역시 본인에 대해 이야기해 나가면서 본인들도 미쳐 깨닫지 못했던 삶의 한조각을 찾습니다.

　또한 의사들도 내 앞에 있는 환자의 삶에 대해 들으면서 내 삶도 되돌아보게 됩니다.

(아픈 사람들이 모여있는 곳이기에 본인의 욕망이 최우선이 되는 공간에서 의료진, 환자들환자 보호자들 모두가 서로의 순간의 선택을 보고 직접 하기도 하고 시간이 지난후에 후회하고 복기하고 반성합니다)

병원생활에서의 여러 에피소드를 담담한 어조로 풀어나가는 이 책을 읽으면서 순간순간 지나갔던 기억의 한 조각을 떠올려 봅니다. 의사 입장에서 환자 입장에서 환자 가족의 입장에서 여러 생각을 할 수 있었습니다.

도파민 중독이 될 정도의 현재 자극적이고 빠른 콘텐츠가 넘쳐나는 일상에서 디톡스가 필요하시다면 이 책을 추천드립니다.

– 기동훈 (응급의학과 전문의, 메디스태프 CEO)

Prologue
0이 아닌 정수

    아무리 노력해도 오르지 않던 수학 성적, 그때 느꼈던 좌절감이 지금도 생생합니다. 반삭 머리를 쥐어뜯으며 도대체 무엇이 문제일까 고민하던 어느 날, 수학 문제의 첫 문장에서 '0이 아닌 정수'라는 말이 눈에 확 들어왔습니다. 음수와 양수! 마치 어두운 방에 불이 켜지는 순간처럼, 갑작스런 깨달음이 찾아왔습니다. 아르키메데스처럼 기쁨에 차 뛰쳐나가고 싶었지만, 그 시절 광주 동성고에서는 야자시간에 뛰어나가면 혼났기 때문에, 조용히 의자에 앉아 깨달음의 쾌감을 만끽했습니다. 그 순간 이후로 수학 성적은 급상승했습니다.

그때의 깨달음을 곱씹으며, 의사가 된 이후에도 되도록 최대한 이면을 바라보려 노력합니다. 음수와 양수, 해와 달, 빛과 그림자, 삶과 죽음, 보호자와 환자처럼 모든 것은 상반된 두 요소로 이루어져 있다는 것을 인식하게 된 것입니다. 그러다 보면 급상승했던 수학 성적처럼, 상대방에 대한 이해가 큰 폭으로 늘어나기도 합니다.

"왜 내과 의사가 되었나요?" 자주 받는 질문입니다. 사람을 살리고 싶다는 신성한 이유가 본질적인 이유는 아니었습니다. 저의 지난 경험들은 내과를 선택한 이유가 되지 않았습니다. 외려, 바이탈은 피할 수 있으면 피하고 싶었습니다. 솔직히 말하자면, 그저 전문의가 되어야겠다고 생각하던 때, 마침 심장 전문 병원에서 제안이 들어왔고, 근무조건도 나쁘지 않아 보여서 선택한 것뿐이었습니다. 장밋빛 꿈만 그린 채, 드리워질 그림자는 전혀 생각하지 않은 것이죠.

그러나 몇 번의 사망 선고와 심정지 환자 치료, 34시간 연속 근무 후에도 환자 생각이 떠나지 않는 경험들은 내면의 가치관을 뒤흔들었습니다. 빛만 보고 들어왔던 이 길에, 그림자가 있다는 사실을 그제야 깨달았습니다. 그리고 그 그림자조차 때로는 빛이 될 수 있다는 것도 알게 되었습니다. 사람이 죽을 수도 있지만, 내가 사람을 살리기도 한다는 경험이 반복되자, 바이탈이 재밌어지기 시작했습니다. 아마도 바이탈 과를 선택한 몇몇 의사들이 저와 비슷한 생각을 할 것입니다. 이 길에 들어온 후에야 진정으로 매료된 거죠.

　이 글은 누군가의 죽음을 막는 일을 가볍게 생각했던 어떤 의사의 에세이입니다. "사막은 더우니까 반팔만 입으면 되겠지"라고 생각했던 무모함처럼, 저는 바이탈이라는 뜨거운 빛에 화상을 입었습니다. 매일 밤 "내일은 그만둬야지"라고 중얼거리면서도, 결국은 환자 상태를 확인하곤 했습니다. 이 글은 그런 낭만에 살았던 저의 기록입니다.

　유튜브와 작문을 통해 제 삶을 되짚어보니, 과거로 돌아가서 처음부터 다시 살 수 있냐고 묻는다면 절대로 이렇게까지는 못 할 것 같습니다. 그래서 지금이 더욱 소중하게 느껴집니다. 여기까지 함께해준 관동의대 동기들(홍욱진, 허 숭, 이원호), 그리고 전공의 동료들, 인스타와 유튜브를 통해 응원해주신 구독자분들께 진심으로 감사드립니다. 마지막으로, 저의 존재의 근본인 가족들에게 항상 사랑한다고 말하고 싶습니다.

　저는 언제든 틀릴 수 있습니다. 과거의 오만함이 저의 청춘이자 자랑이듯이, 틀릴 수 있다는 것은 곧 깨달음을 의미합니다. 항상 틀릴 수 있기에, 저는 이 글을 쓸 수 있었습니다. 감사합니다.

목차

Chapter 1. 성장

바이탈 과: 사람의 생명을 중점으로 다루는 전공

Ex)
내과/외과/산부인과/소아청소년과
신경과/응급의학과/마취통증의학과
신경외과/심장혈관흉부외과
등등

소개팅

어제 심장 시술을 받고 내일 퇴원을 앞둔 할머니가 계셨습니다. 시술 후 병동을 돌며 할머니 상태를 확인할 때마다, 할머니는 저에게 소개팅을 제안하셨습니다.

"아니, 뭔 소개예요, 할머니. 그냥 건강하게 집 가세요."
"소개해 주면 딱이겠다 싶어서 그렇지. 내 손녀 한 번만 만나봐."

맙소사, 심지어 본인 손녀랍니다.

"아 됐어요. 오늘 복도에서 슬렁슬렁 걸어보시고 별일 없으면 내일 집

가세요."

"내일 퇴원할 때 손녀가 온다니깐, 그럼 얼굴 보고 인사라도 한 번 해 줘."

퉁명스럽게 무시했지만, 제 안의 무의식은 그렇지 않았나 봅니다. 소개팅 날 아침, 유난히 일찍 눈이 떠지고 평소보다 샤워 젤도 듬뿍 바르고 콧노래를 흥얼거리면서 출근했습니다. 아침 회진을 도는 둥 마는 둥 하며, 머릿속은 이따가 만날 할머니의 손녀 생각뿐. 문득 생각해보니, 할머니가 은근히 예쁘셨던 것 같기도 했습니다.

병동에서 보낸 퇴원 알림 문자가 도착했고, 퇴원 약을 정리할 겸 다시 할머니를 보러 갑니다. 물론, 손녀를 만나려는 건 절대 아닙니다.

"여기, 여기! 인사해, 내 손녀."

"....?"

"아, 우리 손녀가 중학생인데, 글쎄 의대를 가고 싶다잖아. 이번에 할머니 아픈 것 고쳐줘서 감동받았다면서. 멘토? 그런 것 좀 해줘."

그제야 할머니가 왜 끈질기게 소개팅 아니 만남을 주선했는지 이해가 되었습니다. 할머니의 순수한 마음은 손녀의 멘토를 구해주고 싶었던 것이었고, 제가 그 마음을 오해한 것뿐이었습니다.

그저 오해였습니다.

의사 유튜버

'인계'라는 것이 있습니다. 정규 근무자(오전 8시 ~ 저녁 6시)가 당직 근무자(저녁 6시 ~ 다음 날 오전 8시)에게 환자 정보를 브리핑하는 일입니다. 이 작업은 매일 이루어지는 필수 업무이자, 레지던트의 피를 말리게 하는 일 중 하나입니다. 상급자는 아랫 년차의 환자 파악 및 관리 능력을 적나라하게 평가할 수 있기 때문입니다.

제가 중환자실에서 근무하던 어느 날이었습니다. 일반 병동에서 심정지가 발생한 환자를 처치하다 보니 인계 준비가 살짝 부족했습니다. 정말 다행인 건 성품이 부드러운 응급의학과 과장님께서 그날 당직이라는 사실이었습니다.

잔뜩 긴장한 채 오들오들 떨면서 미흡한 인계를 시작했고, 흘긋 본 과장님은 고개를 갸우뚱거리며 제 말을 듣고 계셨습니다. 브리핑이 끝난 후, 과장님은 말없이 저를 바라보시더니 갑자기 씩 웃으며 말씀하셨습니다.

"금닥터... 맞죠? 팬이에요!"

그 순간, 깜짝 놀라며 무거웠던 분위기가 한순간에 부드럽게 풀렸습니다. '팬? 응급의학과 전문의가 내 팬이라고?' 과장님은 제 특유의 목소리 때문에 긴가민가하다가, 브이로그에서 봤던 병원 마크를 보고 저라는 걸 확신했다고 하셨습니다. 그때부터 저와 근무가 겹치면 꼭 말을 걸고 싶었다고요.

"쌤, 응급의학과에 대해 소개 잘해줘서 고마워요."

초창기 유튜브에서 전공을 소개하는 영상들과 의학적 사회 이슈를 재미있게 풀어냈다는 칭찬을 해주신 과장님은 진심으로 감사 인사를 전하고 다시 중환자실로 돌아가셨습니다.

그 후로도 의대생 혹은 의사 모임에 나가면 알아보는 일들이 꽤 있습니다. 누군가 저를 흐뭇하게 바라보고 있으면, 높은 확률로 팬이더라고요. 덕분에 연예인처럼 셀카 요청도 받아보고, 악수도 해봅니다. 가장 큰 혜택은 여러 파트, 타 병원 의사 선생님들과의 교류가 매우 수월해졌다는 부분입니다.

아직도 큰 돈이 되긴 요원하지만, 알아봐주실 때마다 생각합니다. '아, 유튜브를 시작하길 정말 잘했다.'라고요.

두 개의 이름표

인생은 멀리서 보면 희극, 가까이서 보면 비극이라는 말이 있습니다. 병원에서 만나는 환자분들 혹은 유튜브 댓글을 통해 '의사들은 아파 본 적이 없어서 환자 마음을 모른다.'라는 말을 들어본 적이 있습니다. 심지어는 '당신도 뼈저리게 아파 봐야 해.'라는 말을 들을 때마다 그 말이 떠오르곤 합니다.

지금이야 돌이켜 웃으면서 친구들과 커피를 마실 수 있는 기억이지만, 진단 당시엔 힘겨웠던 병을 앓았던 적이 있습니다. 의사에서 환자가 된 경험은 받아들이기 쉽지 않았습니다. 하루는 세상을 원망하다가도, 또 다른 하루는 빨리 발견해서 오히려 다행이라며 감사하기도 했습니다. 가장 흥미로운 점은 이런 감정의 변덕이 여전히 종종 찾아온다는 것입니다. 특히, 진료를 보러 가는 날엔 더 그렇습니다.

약 27시간 동안 (오전 8시 ~ 다음날 오전 11시) 일반 병동 담당의와 중환자실 당직의로서 일하던 저는 정기 검진을 위해 다른 병원으로 가야 했습니다. 지하철에 앉아 병원으로 가는 동안 내가 의사라는 사실은 점점 흐려지고, '나도 환자였지.'라는 생각이 점점 더 선명해졌습니다. 그러다 진료실 앞에 앉아 초조하게 검사 결과를 기다리는 순간만큼은, 온전한 '환자'가 되어있습니다.

"OOO님, 들어오세요."

병원에서 제 이름 뒤에 '선생님'이 붙지 않고 그저 '환자'로 불리는 순간은 낯설었습니다. 새삼 내가 환자라는 사실을 다시 깨닫고, 진료실에 들어갔습니다.

이번 검사 결과도 괜찮다는 진료를 보고 나가려다가, 문득 교수님께 제 소식을 전하고 싶었습니다. 교수님 덕분에 살게 된 환자가 이제 다른 사람들을 살리고 있다는 이야기를 하고 싶었죠.

"교수님, 사실 저 수련받고 있습니다."

"어? 벌써? 무슨 과?"

"내과입니다. 교수님 덕분입니다. 감사합니다."

그러자 잠깐 진료실의 공기가 의사와 환자 관계에서 의사 선후배 관계로 바뀌었습니다. 교수님은 격려의 말을 건넸지만, '벌써?'라는 말에 다시 환자로서의 불안감이 밀려왔습니다. '수련 받았으면 안됐나?'라는 생각이 피어오르더라구요.

'벌써?'를 되새기며 병원을 나와 다시 근무하는 병원에 도착했습니다. 환자에서 의사가 된 저는 여느 때처럼 환자들을 보러 병실을 돌아다닙니다. 아직 34시간 근무는 끝나지 않았습니다. 나처럼 건강하고 싶다는 환자들, 그리고 '의사도 아파봐야 한다.'고 말하는 사람들의 틈바구니 속으로 들어가 환자로서의 불안을 몰래 간직한 의사가 되어 그들 앞에 서 있습니다. 마치 아무 일도 없었던 것처럼.

MBTI

요즘 MBTI가 유행이라고 합니다. 특히 소개팅같이 처음 만난 사람과 분위기를 풀어갈 때, 상대방의 MBTI를 묻곤 하죠. MBTI는 외향(E)/내향(I), 감각(S)/직관(N), 사고(T)/감정(F), 판단(P)/인식(J)으로 나뉩니다. 물론 맹신하는 건 옳지 않지만, 누군가를 가볍게 파악하는 데는 꽤 재미있는 성격 유형 테스트입니다.

평소처럼 당직실에서 환자의 엑스레이와 심전도를 보고 있었습니다. 오전 회진을 마치고 처방을 수정하는 중이었는데, 누군가가 당직실 문을 두드렸습니다. 잠시 후, 평소보다 어깨가 축 처진 의국 동생이 들어와 대화를 청했습니다.

"형, MBTI를 전혀 안 믿는 제가 이런 말 하기 정말 싫은데요. 내과 같은 과는 J(계획형)와 정말 안 맞는 것 같아요."

쌩뚱맞은 이야기에 정신없이 환자의 폐를 들여다보던 시선을 동생에게로 돌렸습니다. 그의 얼굴엔 피로와 좌절감이 가득했습니다. 잠자코 말을 더 들어보니, 퇴원하기로 한 환자들이 갑자기 퇴원을 거부하며 병동에서 소란을 피웠고 또 다른 환자는 밤사이 급사했다고 합니다. 그날따라 계획대로 되는 일이 하나도 없었던 거죠.

학창 시절, 혼자서 수학 문제를 풀어 답을 맞히는 것과 달리, 사회에서는 계획대로 되는 일이 거의 없다는 걸 내과에서 몸소 경험하게 됩니다. 화요일에 환자를 데려가기로 했던 보호자가 갑자기 연락이 두절된다거나 내일 퇴원할 환자가 오늘 저녁에 급사하는 일은 수련 중에 한 번쯤은 반드시 겪기 마련이거든요. '계획이란 것이 의미가 있는 걸까'라는 회의감이 하루를 덧칠하기도 합니다.

동생의 퀭한 눈을 보며, 잠시 일을 멈추고 해줄 수 있는 말들을 머릿속에서 떠올렸습니다. 선배들에게 받았던 위로를 저만의 언어로 다시 만들어 무심하게 한마디 던졌습니다. 눈빛을 살짝 피하면서요.

"우리가 통제할 수 없는 일들은 우리 잘못이 아니야. 그걸로 주눅 들지 마."

그 말이 얼마나 위로가 될지는 저도 잘 모르겠습니다. 그의 고민이 너무나 내 과거와 현재, 그리고 미래와 닮아 있었기 때문에 차마 그의 눈을 똑바로 마주 볼 수 없었습니다. 스스로도 해결하지 못한 문제에 대한 풀이를 던진 것이 미안해서였죠.

오늘 저녁 메뉴조차 계획대로 되지 않을 때가 많은데, 사람을 살리고 퇴원시키는 일이 어떻게 원하는 대로만 흘러갈 수 있을까요. 결국, 의학이란 예상할 수 없는 유기체인 사람과 사람이 하는 일인걸요.

최신 지견

전 국민이 매주 일요일 텔레비전 앞에 앉아 '1박 2일'을 보던 시절이 있었습니다. 개그맨 강호동의 재치 있는 애드리브로 인해 가족들 사이로 웃음이 퍼져 나가는 모습을 보며, 저도 자연스럽게 그 프로그램을 시청하곤 했습니다. 그때는 하나의 프로그램이 오랜 시간 유행을 타고, 그 유행을 모르는 사람은 왠지 이상하게 여겨지던 시절이었죠. 어쩌면 공감대가 넓었던 시기라고 할 수 있겠네요.

요즘은 양상이 전혀 다릅니다. 텔레비전보다 각자 핸드폰을 들여다보며, 원하는 영상과 프로그램만을 추천받아 봅니다. 일명 '알고리즘'이라고 하죠. 그래서인지 최근 트렌드는 너무나도 빠릅니다. 지난주와 이번 주의 유행이 다르고, 어제와 오늘의 유행조차 다릅니다. 따라가기는커녕 제자리에 있는 것조차 버거울 때가 많습니다. 물론, 제가 나이를 먹어서 그런 것도 있겠죠.

신기한 건 현대 의학 또한 매우 트렌디하다는 점입니다. 학부 시절 배운 지식은 불과 5년 만에 구시대의 것이 되어 버리곤 합니다. 수술 기술을 배워야 하는 전공과 달리, 최신 지견이 중요한 내과에서는 이런 변화가 흥미로운 사건을 일으키기도 합니다. 바로 전문의 선생님들과 환자에 대해 의견을 주고받을 때 일어나는 일들이 그렇죠.

"김 선생, 이 환자에게는 이번에 이 약을 처방하도록 하지."
"그런데 과장님, 최근 발표된 가이드 라인에서는 그 약보다는 다른 약을 추천하더라고요. 혹시 그건 고려하지 않으실까요?"
"오, 그래? 그럼 그 파트 과장님과 한 번 더 확인하고 약을 수정해 보도록 하지."

수직 관계가 강한 법조계나 수술 계통과는 다르게 내과계는 이렇게 최신 지견을 바탕으로 서로 의견을 주고받습니다. 다른 분야에서 미처 공부하지 못했던 내용은 덕분에 지식이 늘어나는 기회가 되고, 변화를 먼저 파악한 의사들은 이번 기회에 다른 의사들을 가르치기도 합니다.

"허허, 김 선생, 나도 늙는군."

전문가들도 끊임없이 배워야 하는 곳, 그곳이 바로 의학의 세계입니다.

벤자민 버튼

브래드 피트 주연의 영화 '벤자민 버튼의 시간은 거꾸로 간다'라는 작품이 있습니다. 줄거리는 간단합니다. 80세 노인의 외모로 태어난 주인공이 나이를 먹을수록 점점 젊어지는 이야기입니다. 영화 속 벤자민은 사랑에 빠지지만, 시간이 흐르며 그의 사랑하는 여인은 늙어가고, 두 사람의 관계는 변화합니다.

침대에서 일어나 병동을 걸어보라고 잔소리 해도 가만히 누워만 있는 할머니 환자들이 안타까워 똑바로 앉혀봅니다. 일어나려고 침대 난간을 향해 쭉 뻗은 앙상한 팔이 눈에 들어올 때면 괜스레 이 영화가 떠오릅니다. 특히 애정이 가는 할머니일수록, 그녀의 모든 것이 마치 아기 같아 보입니다. 늙고 연약해질수록 점점 신생아로 돌아가는 것만 같습니다. 마치 벤자민처럼요.

영화 '벤자민 버튼의 시간은 거꾸로 간다'가 특히 떠오르는 순간은, 건장한 아들이 환자 옆에 서 있을 때입니다. 사랑이 가득 담긴 눈으로 아들을 바라보는 엄마와 걱정 어린 눈으로 엄마를 바라보는 아들의 눈빛이 교차할 때, 뭉클한 감정이 제 마음속 깊은 곳에 스며듭니다. 그러면 부모님의 안부가 궁금해지고, 밤에 전화를 걸어 "엄마, 뭐해? 밥은 먹었어?"라고 묻게 됩니다.

통화 중, 코어 근육이 부족해서 일어나지 못했던 환자가 불쑥 떠오릅니다.

"엄마, 필라테스가 나이 먹을수록 중요한 운동이래."
"넌 밥은 먹었니? 퇴근은 내일이니?"

서로의 안부를 주고받으며 대화 아닌 잔소리를 나눕니다. 통화가 짧게 느껴져 이렇게라도 시간을 늘려보려다 결국 "조만간 내려갈게." 하고 전화를 끊습니다. 자주 전하지 못한 사랑을 꾹꾹 눌러 담아.

코 수술

피곤한 날이었습니다. 누군가를 떠나보내기도 하고, 죽어가는 또 다른 누군가를 살려내야 했던, 평범하지만 지쳐가는 날이었습니다. 고난이도의 부정맥 시술을 끝낸 환자가 중환자실로 들어왔습니다. 예상보다 길어진 시술 시간에 환자는 이미 기진맥진했고, 자꾸 졸리다며 어린아이처럼 칭얼거렸습니다. 밤 10시라는 걸 생각하면 이해가 가는 모습이었죠.

바이탈을 확인하고, 루틴대로 시술 후 X-ray를 촬영 했습니다. 그런데 뭔가 이상했습니다. 세한 느낌에 다시 바라본 그녀의 얼굴은 마치 피가 전부 빠져나간 듯 창백했습니다. 급히 눈 밑 점막을 확인하자마자, 간호사 선생님도 피 검사와 엑스레이에 문제가 있는 것 같다고 알려왔습니다. 오늘, 한 명을 더 떠나보낼 수는 없었습니다.

상황을 빠르게 정리하고, 떨어져가는 그녀의 혈압을 올리기 위해 지시를 내렸습니다. 동시에 심장내과 전문의 선생님께 전화를 걸었죠. 주저할 시간이 없었습니다. 시간이 흐를수록 그녀의 상태는 악화될 뿐이니까요. 곧 심장내과 선생님이 달려오셨고, 응급의학과와 흉부외과 선생님께도 연락하라고 지시하셨습니다. 지시대로 전화를 돌리고 보호자에게 연락하는 사이, 각과의 선생님들이 모두 환자 옆에 도착했습니다. 세 명의 전문가가 심각한 얼굴로 서로 다른 의견을 제시했고, 짧은 논의 끝에 치료 방향이 결정되었습니다.

조금씩 의식이 돌아오자 할머니가 저를 지그시 바라보고 있었습니다. 입실 당시 백지장 같던 그녀의 얼굴에 생기가 조금 돌았고, 눈에는 초점이 잡혀 있었습니다. 그녀는 저를 가만히 쳐다보며 힘겹게 한마디를 내뱉었습니다.

"코 했어?"

그 순간, 중환자실을 감싸던 긴장감이 풀리며, 약간의 온기가 돌기 시작했습니다. '아이고, 할머니 사셨네.' 베테랑 중환자실 간호사 선생님도 안도하며 농담을 건넸습니다. 환자의 바이탈은 점차 안정되었고, 심장 전문의 과장님도 제게 수고했다는 말과 함께 당직실로 돌아가셨습니다. 그분의 뒷모습을 바라보며 감사의 인사를 전한 후, 저는 그 자리에 털썩 주저앉았습니다. 온몸이 땀으로 축축해져 있었습니다.

중환자실에 있던 거울로 제 얼굴이 보입니다. 마스크 속에 숨어있던 코를 확인하고 씨익 웃으며 생각합니다.

'코 수술 안 했는데'

한숨 뒤의 책임감

"괜찮아, 별거 아니야."

늘 모든 일을 대수롭지 않게 처리하는 사람이 있었습니다. 처음엔 그가 모든 일을 대충 처리하는 사람인가 싶어 오해한 적도 있었습니다. 그러나 시간이 지나 그 말 뒤에 살짝 내쉬는 한숨과 감춰진 망설임이 보일 만큼 그와 가까워지자, 달리 보이기 시작했습니다. 그는 책임감과 불안감을 자기 최면으로 삼키며 견디고 있었던 겁니다. 그제야 그의 깊은 고민과 헌신이 보이기 시작했습니다.

드라마 속 의사들은 언제나 따뜻하고 감동적입니다. 환자를 위해 눈물을 흘리고, 뛰어난 공감 능력으로 환자들을 웃게 만듭니다. 하지만 현실의 의사들은 기대와는 다릅니다. 종종 보호자의 무리한 요구에 단호하게 대응하고, 때로는 난처하게 만들기도 합니다.

그러나 한 걸음만 가까이 다가가면, 마스크 뒤에 숨겨진 깊은 한숨까지 보일 만큼 가까운 곳에서 그들의 진짜 모습을 발견할 수 있습니다. 35시간 연속 근무를 마치고도 환자가 걱정돼 밤 11시에 병동에 전화를 걸어 상태를 확인하는 레지던트, 이미 가득 찬 검사 일정에 환자를 겨우 끼워 넣고, 그로 인해 타과 의사에게 질책 받는 모습들 말이죠.

중요한 일들이 그에게는 별일 아닌 듯 보이는 이유는, 그의 헌신이 그 모든 것을 감싸고 있기 때문입니다. 다른 의료진에게서 받는 질책도, 환자를 위해 밤새 논문을 뒤적이는 수고도 그저 담담히 받아들이는 의사. 그의 손에서 치명적일 수 있었던 일들이, 마치 아무 일도 아닌 것처럼 해결되는 것입니다.

제가 만난 대다수 의사들은, 드라마보다 훨씬 더 헌신적이었습니다.

낭만

"하고 싶은 것만 하고 사세요."

방송인 노홍철 님이 입버릇처럼 하는 말입니다. 인생은 짧고 쓸모없는 경험은 없으니, 하고 싶은 것만 해도 충분하다고요. 참 멋진 마음가짐입니다.

인턴을 마치고 처음으로 경험한 피부과 로컬 근무(대학 병원이 아닌 모든 근무를 말합니다.)는 쉽지 않았습니다. 인턴보다는 좋은 근무 환경이었지만, 의사로서 텅 빈 듯한 공허함에 하늘을 바라보던 퇴근 길이 많아졌습니다.

그러던 어느 날, '나도 사람을 살리는 일을 해보고 싶다.'는 생각이 들었고, 마침 원하던 병원에서 연락이 왔습니다. 로컬 원장이었던 저는 심장 전문 병원의 내과 수련의로 신분이 바뀌었지만, 오히려 자존감은 더 높아졌습니다. 큰 뜻 없이 시작했던 내과 의사의 길은 점차 저를 사로잡았고, 때로는 심장내과나 중환자 의학의 세부 전공을 꿈꾸게 만들기도 했습니다.

그렇게 한 달 두 달이 지나고 내과에 완전히 물이 들자, 어느새 저는 하고 싶은 것만 하며 사는 사람이 되어 있었습니다. 환자들 때문에 긴장하고 잠을 1분도 못 자는 날들이었지만, 나름대로 행복했습니다. 서로를 도와주는 의국 동기들과 매일 따뜻하게 가르침을 주시던 과장님들은, 제가 어릴 적 꿈꾸던 수련 환경 그대로였습니다.

'하고 싶은 것만 하고 산다.'는 것은 이토록 행복한 일이었습니다.

간극

    제가 수련 받았던 병원은 심장 전문 병원이었습니다. 심장 관련 인프라와 실력으로 따지면 국내에서 손꼽힐만큼 우수한 병원이었죠. 역사도 깊은 만큼, 환자들의 기대 또한 상당했습니다. 다른 병원에서 우리 병원으로 전원 올 때면 환자들의 기대는 더욱 커졌습니다. 바로 완치에 대한 기대 말입니다.

    60대 남성 환자가 있었습니다. 운동중 발생하는 흉통으로 병원을 찾았고, 불안정형 협심증이 의심되어 관상동맥 조영술(심장을 먹여 살리는 혈관의 막힘 정도를 확인하는 시술)을 시행했는데, 예상대로 혈관이 막혀 있어 스텐트 시술을 하게 되었습니다. 시술 후 경과는 대체로 비슷합니다. 스텐트가 막히지 않도록 피를 묽게 하는 약을 처방하고, 고위험군이므로 콜레스테롤 관리 약도 추가합니다. 또, 심부전이 확인되어 심부전약도 처방됩니다.

환자 입장에서는 그저 가슴이 조금 불편해서 왔을 뿐인데, 시술 후에 다섯 가지나 되는 약을 처방받고, 평생 먹어야 한다니 화가 났나 봅니다.

"당신들이 저지른 일인데 내가 왜 약을 먹어야 하지?"

이런 말을 들을 때면, 환자의 입장이 되어 생각해보게 됩니다. 환자는 시술을 받았지만, 그 과정에서 강압적으로 느껴졌을 수도 있습니다. 시술 중 수많은 의료진과 장비에 둘러싸인 상태에서 의사가 설명하는 대로 치료에 일단 동의를 했지만, 병동에 돌아와 곰곰이 생각해보니 그 과정이 꽤 불합리하다고 느낄 수도 있습니다.

응급상황에서 시술할수록, 목숨과 삶의 질이 달린 문제일수록 이러한 오해는 더 커질 수 있습니다. '살렸다'에 대한 의사와 환자의 입장은 경각에 달할수록 그 차이가 커지니까요.

단단히 화가 난 환자와 차분히 대화해보니 주렁주렁 약을 달고 나가야 함에 대한 분노보단 자신이 몸을 제대로 관리하지 못했다는 사실에 대한 분노가 더 컸던 것 같습니다. 다행입니다. 우린 서로를 이해했습니다.

그러나 이런 대화가 가능했던 이 상황도 언젠가는 변할 수 있겠죠. 소송이 만연한 사회에서는 이러한 대화조차 시도할 수 없을지도 모릅니다. 그때는 어떤 방식으로 환자와의 간극을 좁혀야 할까요.

멍청한 의사

"당신들 때문에 내 사업 망하면 책임질 거야?"

환자의 심장 상태는 생각보다 심각했습니다. 본인은 자각하지 못했지만, 그의 심장 세포들은 실시간으로 죽어가고 있었습니다. 병원에서 응급으로 시행한 약물 치료 덕분에 조금씩 안정되고 시작하자, 환자는 퇴원을 요구하기 시작했습니다.

"지금 나가면 돌아가실 수도 있는데, 저희가 어떻게 퇴원을 시켜요."
"살아도 이번 계약 못 하면, 나는 죽은 거나 다름없다니깐?"

"당신이 그걸 장담할 수 있어? 내가 무조건 죽는다고?"

어떻게 죽음을 단언할 수 있을까요. 하지만 이 환자는 나가면 곧 시체로 돌아올 가능성이 매우 컸습니다. 그렇지만 이 모든 건 예측할 수 없는 미래였습니다. 의학에 100%란 없으니까요.

생명을 다루는 의사로서 퇴원을 막으려는 나와, 삶을 살아가기 위해 퇴원을 요구하는 환자 사이의 갈등은 그야말로 아이러니였습니다. 서로 다른 생존 방식에 대한 충돌이었으니까요.

갈등이 점점 격해지고, 순간 '대체 내가 뭘 위해 이렇게까지 설득해야 할까?'라는 의문이 스쳤지만, 이내 마음을 가라앉혔습니다. 이게 우리의 일이니까요.

결국, 환자는 자의퇴원서를 작성하고 퇴원했습니다. 그 후로 우리 병원에 다시 입원하거나 응급실에 오지 않았습니다.

계약도 성공하고, 지금도 잘 살아 계시길 바랍니다.

"그때 멍청한 그 의사 때문에 계약 망칠 뻔했지 뭐야."라고 욕하면서라도. 부디.

죽을 환자가 아니었는데

그렇게 죽을 환자는 아니었습니다. 돌이켜보면, 그에게는 살 수 있는 기회가 여러 차례 주어졌던 것 같습니다.

최근 가슴에 불편함을 느껴 병원을 찾은 그는 관상동맥 조영술 결과, 즉각적인 수술이 필요하다는 진단을 받았습니다. 하지만 평소에 심장 수술을 고려할 정도의 문제가 없다고 생각했던 그는 이 문제의 심각성을 전혀 깨닫지 못한 듯했습니다.

"집에 갔다가 재입원해서 수술받을게요."

"안 됩니다. 주말 동안 병원에서 추가 검사를 하고 지켜보다가, 화요일에 수술 받으셔야 해요. 정말 위험한 상태입니다."

"아니, 당장 죽진 않잖아요. 어제까지 멀쩡했단 말이에요. 제 몸은 제가 제일 잘 알아요."

건강했던 그는 어쩌면 갑작스러운 심장 수술 권유에 덜컥 겁이 났을지도 모릅니다. 죽음이라는 추상적인 것보다 심장 수술은 훨씬 현실적이고 피부로 와닿는 일이니까요. 그에겐 당장의 예약된 수술이 예정에 없는 죽음보다 더 무섭게 느껴졌을 것입니다. 그래서 그는 더 강하게 거부했을지도 모릅니다. 우리 의사들은 매번 이 간극을 망각하곤 합니다.

도저히 좁혀지지 않는 간극을 다섯 번째쯤 확인할 무렵, 담당 전문의 선생님이 등장하셨습니다. 하지만 과장님의 설득도 실패했습니다. 결국 그는 자의퇴원서를 작성하고 퇴원 하기로 했습니다. 퇴원 정리를 하며 담당 간호사 선생님이 마지막으로 설득을 시도했으나, 그의 고집은 흔들리지 않았습니다. 주말 동안 가족과 시간을 보내고, 운영하던 사업도 간단히라도 정리하고 오겠다고 했습니다. 결국, 절대 안정을 강조하며 월요일에 입원하라는 말과 함께 그를 보내주었습니다.

그렇게 그는 퇴원했고, 월요일 새벽 심정지 상태로 응급실에 돌아왔습니다. 출근 후 응급실 명단에서 그의 이름을 보고 놀란 저는 그의 차트를 다시 열어보았습니다. 거기엔 그에게 주어졌던 수많은 경고가 기록되어 있었습니다. 담당 레지던트, 주치의 과장님, 병동 간호사, 그리고 다시 레지던트까지. 정규 입원하기로 했던 그는 그 모든 경고들을 저버리고 심정지 상태로 응급실에 돌아온 것이었습니다.

그와 나눴던 대화들이 떠오를 때면, 그가 거부할 수밖에 없었던 이유를 상상해보게 됩니다. 그의 머릿속엔 이제 막 운영되고 있으나 2주 정도 자리를 비워야 하는 사업, 수술 전에 꼭 껴안고 싶은 딸이 있었을 것입니다. 결국 그가 거부한 이유는 단순한 고집이 아니라, 가정에 대한 책임감에 기인한 것일지도 모릅니다.

그래서 우리 둘의 간극은 끝내 좁혀지지 않았던 것도 같습니다.
그는 살 수 있었던 환자였습니다.

어제까진 멀쩡했어요

버스에서 네이버 뉴스를 보다가 가끔 보이는 제목이 있습니다. '로또 000회 1등 당첨 0명. 당첨금 00억.' 하루아침에 인생이 바뀐 당첨자들에게 그날은 어떤 날일까요?

80세 할머니가 입원했습니다. 빙판길에서 잠깐 미끄러진 뒤 허리가 아파 발가락조차 움직일 수 없다고 하십니다. 검사 결과, 여러 가지 병이 발견되었고 빠른 내분비적 치료가 필요한 상황이었습니다.

"아니, 어제까진 멀쩡하신 분이었다니까요. 왜 병을 만들어내시는 거예요?"

간단한 치료만 받고 퇴원할 줄 알았던 어머니가 입원하자, 아들은 화가 났습니다. 수십 년 동안 건강하게 지내셨고, 잔병치레조차 없던 어머니가 퇴원도 못 하고 있으니, 의사가 의심스러운 모양입니다.

"저희는 원래 있던 병을 찾아서 진단해 드린 거죠."
"허리만 고쳐주면 되지. 검사를 더 해서 병을 만들어낸 건 맞잖아요."

환자의 상태를 설명하려던 대화가 엉뚱한 방향으로 흘러갑니다. 아들은 병의 책임을 저에게 돌리려 합니다. 우리의 대화가 더 이상 꼬이지 않도록 꾹 참았던 말을 꺼냅니다.

"어머님 건강검진을 왜 십수 년간 한 번도 안 하셨어요?"

아들은 그 순간 말을 잃습니다. 외면했던 어머니의 독거생활, 부족한 영양 섭취, 아버지와 사별한 후 챙기지 못했던 어머니의 건강... 그 모든 걸 알고 있었으니까요. 물론, 몰랐다고 말할 수도 있겠지만요.

뒤늦게 발견된 질병에 대해 의사에게 책임을 묻는 경우가 많습니다. '왜 그땐 못 잡아냈냐.'는 정도는 애교 수준입니다. '병을 만들어 돈 벌려는 거 아니냐.'는 터무니없는 말을 서슴없이 하는 사람들도 있죠.

방치하고 외면해왔던 이들이 이상하게도 의사 앞에서는 모두 효자가 됩니다. 진실을 아는 사람은 그저 병실에 누워있는데 말입니다. 차라리, 어릴 적 당신이 나를 보호해 줬던 것만큼 못 해드려서 죄송하다는 말을 건넸다면, 혹은 나의 삶이 힘들어서 당신을 외면했으니 이제부터라도 잘 챙기겠다고 했으면 어땠을까요?

뭐가 되었든, 그녀는 언제나 그의 편일 겁니다. 오늘부터는 환자가 되었지만, 영원히 그의 어머니일 테니까요.

노부부

손을 잡는다는 것은 참 로맨틱한 일입니다. 요즘은 썸 단계에서 키스도 흔하다지만, 제 생각에 가장 연인다운 스킨십은 손잡기입니다. 사랑이 시작될 때, 서로의 손을 잡을까 말까 망설이며 눈치를 보고, 이별의 순간 마지막으로 놓는 것도 두 사람의 손이기 때문입니다. 특히나 병원에서 손을 잡는 행위는 단순한 스킨십 그 이상의 의미를 지닙니다.

병원에서 이리저리 뛰어다니는 중에도 저를 잠시 멈추게 하는 장면이 있습니다. 그것은 손을 잡고 나란히 걷는 노부부의 모습입니다. 많은 어르신들이 밖에서 손을 잡는 것을 어색해하기에, 할머니와 할아버지가 손을 맞잡고 걸어가는 모습을 보면 저는 잠시 그 자리에 멈춰서 그들을 지켜보게 됩니다.

상상해 봅니다. 70대의 할머니와 할아버지가 도란도란 이야기를 나누며 병원까지 걸어오는 그 모습을, 혹은 말없이 서로의 손을 꼭 잡고 한 걸음씩 내딛는 그 모습을요. 자식들에게 부탁하기 미안해 이제는 서로에게 의지할 수밖에 없다고 생각하며, 그 오르막길을 함께 오르겠다고 마음먹었겠죠. 진료실 앞에서 순서를 기다리며 여전히 손을 꼭 잡고 있는 그 모습에서 그들의 손은 말하고 있습니다. '이 사람만이 나의 진정한 보호자'라는 것을.

손을 잡는다는 것은 세월의 무게를 견뎌온 두 사람이 서로를 지탱하는 방식입니다. 그 손은 이 모든 세월을 담고 있습니다. 검은 머리가 파뿌리가 될 때까지 함께하겠다고 다짐한 그 약속이, 그들의 손끝을 통해 흐르고 있는 것입니다.

꼭 맞잡은 그들의 손에서 저는 세월이 담긴 사랑을 엿보게 됩니다. 그 손 사이로는 청춘이었던 신혼여행과 함께 키운 자식들이 언뜻 보이는 것 같습니다.

병원을 돌아다니면서 손을 놓치지 않는 노부부는 제게 사랑의 정의를 다시 한번 깨닫게 합니다.

불효녀

'효놈'이라는 말이 있습니다. 부모를 챙기는 듯 보이지만, 그 속엔 불효적인 요소가 숨겨져 있는 사람들을 일컫는 말입니다. 효자도 불효자도 아닌, 애매한 그들의 모습은 때로는 기묘하게 비뚤어져 있습니다. 제 머릿속에는 그런 '효놈'의 전형적인 예가 떠오릅니다

요양원에서 응급실로 아무 연락 없이 밀고 들어온 할머니와 딸이 있었습니다. 할머니는 건강상 큰 문제가 없었기 때문에 의료진들은 입원할 필요가 없다며 보호자한테 설명했습니다. 하지만 딸은 "효녀"였습니다. 그녀는 반드시 우리 엄마가 입원해야 한다며, 그렇지 않으면 고소하겠다고

말했습니다. 결국, 입원이 결정된 날 저녁, 제 당직 시간이었습니다.

치매력이 있는 할머니는 이전 입원에서도 밤마다 괴성을 지르며 침대에서 떨어질 가능성이 매우 큰 사람이었습니다. 노인 환자가 침대에서 낙상하는 일은 사망으로 이어질 수 있는 중대한 위험이기 때문에, 우리는 보호자에게 수면 시 손발을 묶는 보호대를 착용해야 한다고 강력히 권유했습니다. 그러나 딸의 반응은 전혀 달랐습니다.

"우리 엄마 묶어놓기만 해! 당신 고소할 거야!"
"안 묶으면 어머님이 침대에서 떨어질 수도 있습니다."
"그럼 당신이 종일 옆에 있거나, 간호사가 지켜보면 되겠네!"
"보호자는 상주 안 하시나요?"
"난 안 하지. 아무튼 내가 불시 점검했는데 엄마가 묶여있다? 당신 고소야."

보호자의 동의 없이는 아무것도 할 수 없는 의료진. 결국 보호대 동의서를 받지 못한 우리는 극도의 긴장 속에서 근무했습니다. 다른 환자들을 돌보는 단 10분 사이에 할머니는 침대 위에 두 발을 딛고 서서 떨어질 준비를 하고 있기도 했습니다. 그 소란에 다른 환자들마저 잠을 설치고, 며칠이 지나자 심지어는 새로운 환자가 섬망 증세를 보이기 시작했습니다.

그럼에도 불구하고 딸은 신체 보호대 동의서를 작성하자고 할 때마다 고소하겠다고 소리쳤습니다.

할머니가 퇴원하는 전날까지, 딸은 병원에 단 한 번도 모습을 보이지 않았습니다. 그러다 마지막 순간, 다시 나타난 그녀는 여전히 똑같은 목소리로 외쳤습니다.

"엄마가 다시 아프면, 돈은 못 냅니다. 고소 준비하세요!"

딸의 말은 울림 없는 협박처럼 공허했습니다. 진정한 효도는 그런 것이 아닐 텐데 말이죠. 사람들은 누군가를 위한 배려를 한다고 말하면서, 실제로는 자신이 얼마나 비뚤어진 욕망에 얽혀 있는지 모를 때가 많습니다. 부모를 지키고자 하는 마음이 아니라, 그 책임감에서 도망치고자 하는 얄팍한 위선. 그것이 바로 '효놈'의 진짜 모습일지도 모릅니다.

의국

성장기 남자들의 땀 냄새가 가득했던 광주 동성고등학교는 다양한 배경을 가진 친구들이 모여 있는 평준화 고등학교였습니다. 서울대 의대를 목표로 쉬는 시간 없이 공부하는 친구도 있었고, 대학보다는 여자에게 푹 빠진 친구도 있었습니다. 각양각색의 19살 청춘들이 3학년 6반이라는 이름 아래 모여 학교에 다녔죠. 12년이 지난 지금도, 그 고등학교와 반이 가끔씩 웃음을 자아냅니다. 그깟 고등학교, 그리고 그 반이 뭐라고. 졸업한 지 10년이 넘었지만, 그 시절의 기억은 여전히 반갑기만 합니다.

의국이라는 것도 그와 비슷합니다. 부천 세종병원 내과 의국은 제 소속이었으며, 우리는 모두 내과 전문의 자격을 얻기 위해 모인 의사들이었습니다. 환자를 살리느라 밤을 새우며 서로 도와주고, 대신 콜을 받아주던 그런 사이죠. 수능보다 더 무거운 중압감을 이겨내며 동고동락하다 보니, 이제는 고등학교 친구들보다 의국 동기들이 더 가까운 것 같습니다.

인연이란 참 신기한 것입니다. 서로 다른 의대를 졸업한 의사들이 '내과 전문의'라는 타이틀을 위해 한자리에 모일 줄 누가 알았을까요. 일면식도 없던 사람들이 34시간 동안 함께 밤을 새우며 일하고, 환자 치료 계획을 두고 크게 싸우기도 했습니다. 때로는 형제가 되기도, 적이 되기도 하면서 서로에게 기대며 성장해나갔죠. 시간이 흘러도 이 추억들은 제게 항상 웃음을 가져다줄 것 같습니다.

Chapter 2. 생사

죽음을 막는 수문장이자
죽음을 열어주는 문지기

DNR

'DNR 동의서'라는 게 있습니다. Do Not Resuscitate, 연명 소생술을 하지 말라는 의미죠. 제가 수련한 병원에서는 4가지 선택지를 줍니다: 심폐소생술, 인공호흡기 삽입 여부, 혈압 상승제 사용 여부, 중환자실 입실 여부. 이 중 원치 않는 치료를 하지 않겠다는 동의서입니다.

예를 들어, DNR에서 심폐소생술만 하지 않기로 동의했다면, 모든 치료는 진행하되 심정지 시에 소생술만 하지 않는 것이죠. 이 서류는 주로 더 이상의 치료가 무의미할 때 작성됩니다. 그러나 문제는 이 서류에 동의하는 사람이 바로 보호자라는 점입니다.

그전까지는 의사들이 의학적 판단에 따라 치료를 결정했지만, 이제는 보호자가 치료의 한계를 정하게 됩니다. 즉, DNR 동의서에 서명한다는 것은 보호자가 환자의 죽음에 대한 책임을 일부 떠안는 일인 셈입니다.

상상해봅시다. 어머니가 위독하시다는 전화를 받고 병원에 도착하니, 의사가 "상태가 매우 좋지 않은데, 심폐소생술이나 인공호흡기를 사용할지 결정해야 한다"라며 DNR 의향을 묻습니다. 그 질문에 선뜻 "안 하겠습니다."라고 답하는 것은 매우 어려운 일입니다.

그러나 한 번 인공호흡기를 사용하게 되면, 경제적인 문제가 현실로 다가옵니다. 중환자실에 입원하고 인공호흡기를 사용하면, 어머니와의 시간은 늘어나지만 그만큼 막대한 병원비로 인한 경제적 부담이 남겨진 자들에게 돌아옵니다.

이 상황에서 보호자들은 "돈이냐, 엄마냐"라는 딜레마에 빠져 허우적댑니다. 이 치료를 한다고 해서 어머니가 살아날 보장은 없습니다. 그러나 내가 돈 때문에 어머니의 시간을 포기해도 되는 걸까? 맞은편에 앉은 의사에게 물어보지만, 의사는 결정을 도와줄 수 없습니다. 법적 문제에 휘말릴 수 있기 때문에 보호자 스스로 결정해야만 하죠.

"내 어머니를 어디까지 살려야 할까?" 보호자들은 잠시 의사들의 책임을 어깨에 짊어지게 됩니다. 그 순간, 무거운 죄책감에 눌립니다. 어떤 선택이 옳은지 고민하는 사이, 의사가 담담하게 한마디를 던집니다.

"이 치료를 안 한다고 해서, 보호자분들이 최선을 다하지 않은 건 아닙니다."

고개를 들어보니 의사는 다시 무심하게 모니터를 보고 있습니다. 그 한마디는 보호자의 어깨에서 잠시 무거운 짐을 덜어주었습니다. '최선을 다하지 않은 건 아니다.' 보호자들이 듣고 싶었던 말이기도 하죠.

"감사합니다."

무심한 태도 뒤에 숨겨놓은 제 속마음을 눈치챈 보호자가, 저만 들을 수 있을 정도로 작게 감사 인사를 건넸습니다. 우리는 그 순간, 서로의 무거운 책임감을 나눠 덜어낸 듯했습니다. 조금은 가벼워진 느낌이 들었습니다.

제발 나를 그만 살려내

살리는 것보다 힘든 건 살아나는 것일까요? 반복되는 입원에 지친 할머니가 다시 입원했습니다. 개똥밭을 굴러도 이승이라던데 이 할머니는 그렇지 않나 봅니다.

"의사 양반. 나를 좀 그만 살려내..."

영양실조에 가까운 피 검사 결과를 보니 그녀는 말과 행동이 다른 사람은 아닙니다. 언제부터 불편했냐는 제 말에 할머니는 대답도 하지 않습니다. 단지 반복되는 "그만 살려내라"는 말만이 저를 옭아매며 제 하루를 따라다녔습니다.

며칠이 지나 그녀의 상태가 조금 회복되었을 때, 겨우 수저를 들 수 있을 정도가 된 할머니가 조심스럽게 제게 부탁했습니다.

"의사 양반. 다음에는 나를 안 살리면 안 될까?"
"아, 그 소리 좀 그만하세요. 의사한테 그런 말 하는 거 아니에요."
"아니 내 딸이... 내 병원비 때문에 너무 힘들대. 제발 그만 좀 살리면 안 될까... 부탁할게."

그녀의 삶에 대한 포기가 결국 딸의 행복을 위함이었다는 걸 알게 된 순간, 저는 잠시 얼어붙었습니다. 더 이상 할 말이 없었습니다. 도대체 무슨 말을 할 수 있을까요? 받아줄 수 없었던 그녀의 슬픈 사정이 담긴 부탁을 마음에 담아두고, 저는 그저 환자의 손을 잡고 말했습니다.

"할머니. 이번에 퇴원하시면 꼭 건강하게 사셔야 해요. 우리, 또 만나지 마요."

슬픔과 절망이 가득한 그녀의 두 눈은, 확답을 주지 못한 저를 원망하는 듯했습니다. 스스로 목숨을 끊을 힘이 없어 영양실조로 딸의 경제적 상황을 돕고자 했던 그녀.

그녀는 정말 죽고 싶었을까요? 딸이 부유했더라면, 그랬더라면 그녀의 상황은 달라졌을까요?

바이탈

바이탈 어렵다.

남들 가위에 눌려 악몽을 꿀 때조차 혼자 드르렁 잠만 잘 자던 나도, 가끔 환자 치료에 어려움을 겪을 때면 일주일 내내 악몽에 시달린다.

퇴원을 앞둔 내 환자가 갑작스럽게 악화되어 보호자에게 DNR을 권유해야 했던 상황이 있었는데, 그때 "내가 주치의가 아니었으면 환자가 무사히 퇴원했을까?"라는 답이 없는 질문도 했다.

바이탈 녹록지 않다.

가끔은 책임감에 짓눌려 '뒈질 것 같다'는 생각마저 든다. 일주일에 두세 번은 '내일 그만둬야지'라는 다짐도 할 정도로.

바이탈 재밌다.

내일은 그만둬야지 중얼거리면서도, 나 때문에 살아난 할머니를 볼 때면 덩실덩실 춤을 추고 싶어진다. 그날, 그녀는 나의 자부심이 된다.

아 그래도, 바이탈은 하면 좋지만 안하면 더 좋아 보인다.

코드 블루

"코드 블루, 000호, 내과."

병원마다 프로토콜은 다를 수 있지만, 원내 코드 블루 방송이 울리면 대다수 내과 전공의와 인턴들은 해당 장소로 달려갑니다. 먹던 라면도, 25시간 만에 하는 샤워도 멈추고 젖은 머리로 뛰어가는 의사들. 그들을 보면서 한 명의 생명을 살리기 위해 얼마나 많은 의료진이 필요로 되는지 그 아이러니를 실감하게 됩니다.

같은 그림이라도 각자 처한 상황에 따라 해석이 달라지는 것처럼, 코드 블루 상황에서 인턴일 때와 내과 레지던트일 때의 경험은 다릅니다. 인턴은 2분 간격으로 흉부 압박을 반복하는 데 반해, 레지던트는 지시를 내리며 중환자실 및 담당 주치의와 소통해야 합니다. 코드 블루 상황일 땐 약 10명 정도의 의료진들이 코드 블루 리더의 입만 바라봅니다.

도저히 익숙해지지 않을 것만 같았던 코드 블루 리더 역할도 2년 차가 되면 어느 정도 익숙해지기 마련. 어느 날, 아랫년차 선생님이 처음으로 리드를 맡았을 때의 상황이 떠오릅니다.

"어....."

그는 코드 블루 상황에서 5개월간 지켜본 모든 경험이 무용지물처럼 느껴졌던 듯했습니다. 그의 "어..."라는 말이 겨우 침대를 벗어나기 전, 2년 차인 우리는 즉시 리더를 교체하고 다시 진두지휘했습니다. 1년 차는 반은 자책, 반은 안도의 한숨을 내쉬며 옆으로 물러섰죠.

환자를 중환자실로 이송하고 치료를 재개할 즈음, 그 1년 차가 머리를 긁적이며 다가왔습니다.

"형, 죄송해요. 리드해 보려고 고개를 들었는데, 10명이 넘게 저만 보고 있으니까 숨이 턱 막히더라고요."

추상적으로만 생각했던 죽음의 책임감이 주변 의료진들의 눈빛으로 실체화된 순간은 가끔 우리를 질식하게 만듭니다. 모든 간호사와 의사들이 제 지시만 기다리는 상황과 동시에 제 판단을 의심하는 순간들은, 상상보다 훨씬 압도적입니다. 그러나 그는 또한 이 순간들을 이겨냈고, 어느새 2년 차들을 지휘하기도 했습니다.

그렇게 그는 여러 번, 여러 명을 살려냈습니다. 그리고 아마도, 또 다른 1년 차의 첫 리드를 조용히 지켜보고 있을지도 모릅니다.

책임 나누기

'모든 환자를 살릴 수는 없다'라는 말이 '나의 환자가 죽는다'로 변하는 날들이 내과 의사들에겐 종종 있습니다. 저에게도 그런 날이 있었습니다. 그럴 때면 주치의 과장님과 함께 해당 환자의 죽음을 다시 검토합니다. 누가 잘못했는지, 치료가 부족했는지 수시간에 걸쳐 분석하죠. '혹시 너무 늦게 온 탓이 아닐까?' 하는 질문은 가장 마지막에 나옵니다. 소송과 달리 의학적으로는 큰 도움이 되지 않으니까요.

"어제도 가슴이 아프다고 하셨는데, 제가 너무 바빠서 병원에 못 모시고 왔거든요... 그때 왔으면 좀 나았을까요?"

심근경색으로 중환자실에 입원한 환자의 보호자가 조심스럽게 묻습니다. '그랬겠죠.'라는 말이 입가에 맴돌았지만, 이내 삼켰습니다. 한숨을 쉬던 보호자는 이미 스스로 자책하고 있는 듯했거든요. '부디 아니라고 해주세요.' 그가 제게 보낸 눈빛에 담긴 의미였습니다. 얼마간의 정적 뒤에 저는 결국 이렇게 답했습니다. "그건 아무도 모릅니다. 꼭 보호자만의 잘못은 아닐 거예요."

이제 의료 소송 시대가 활짝 열리고 사람들은 열광합니다. 다가올 책임은 모른 채. "꼭 보호자 탓만은 아닐 거예요."라고 말하던 의사들은 점차 줄어들 것입니다. "안타깝네요. 좀 더 일찍 모시고 오시지."라는 말로 분위기가 바뀌어 갑니다. 이제 의사들은 죽음의 책임을 보호자와 나눌 것입니다.

'저희의 치료가 잘못된 게 아닙니다. 보호자님이 늦게 데리고 오셨습니다.'라는 문장은 절대로 가볍지 않습니다. 이 문장은 평생 누군가를 후회하도록 만들 것입니다. 그리고 그 후회는 지옥이겠죠. 그렇기에 그동안 우리가 하지 못한 말들이었습니다.

서로 의지하고 격려하던 관계는 이제 '누구의 탓인가'를 낱낱이 확인하는 관계로 변하고 있습니다. 무너진 신뢰를 의사 개인이 회복하기에는 너무나 무겁고 버겁습니다. 그렇다고 그 책임을 보호자에게 떠넘기는 것도 결코 쉬운 일은 아닙니다. 자랑스러웠던 바이탈 의사의 무게는 이제 너무나도 부담스럽습니다.

한때는 중환자실에서 환자를 살리며 기쁨을 느꼈던 의사들이, 이제는 한발 물러섭니다. 그리고 그렇게, 바이탈 의사는 점차 줄어듭니다.

등가교환

사람을 살린다는 건 내 수명과 맞바꾸는 등가교환인 것도 같다는 생각까지 들었던 밤이 있었습니다. 단 한 명을 위해 1분도 자지 못한 날이었습니다. 최근에야 깨달았습니다. 사람들은 의사들이 사람을 살리는 것이 아니라, 원래 살 사람들만 살리고 있다고 믿고 있더군요. 다시 말해, 제가 살린 사람은 없으며, 그들은 저라는 의사가 아니었어도 살았을 사람들이라는 겁니다. 반대로, 의사들이 놓친 환자들은 모두 우리가 죽인 환자라고 합니다. 마음이 아픕니다.

꾸역꾸역 굴러가던 대한민국의 의료 시스템이 이제 멈춰 서고 있습니다. 정부는 이제는 소송을 장려합니다. "남으면 죽는다"라는 분위기가 더욱 가속화되고 있습니다. 이로 인해 최대한 버텨보려던 의사들은 사직서를 내고, 바이탈 분야에 지원서들은 철회됩니다.

2018년, 소아청소년과 의사들이 감옥에 가는 사건이 있었습니다. "결국 무죄로 판명 났잖아." "그 이야기는 지겨워."라고 말하기엔 그 상처가 너무 크고 깊습니다. 사람을 살리려 했던 의사들이 감옥에 갔던 그 일이 불과 몇 년 전이었습니다. 범죄자의 얼굴은 가려도, 의사의 얼굴은 가리지 않는 뉴스들 속에서 의대생과 의사들은 미래의 자신들을 보았습니다. 그로 인해 바이탈 의사들은 더 이상 감사함의 대상이 아닌, 잠재적 예비 범죄자로 보인다는 걸 깨닫게 되었습니다.

한 번 박힌 이미지는 쉽게 바뀌지 않습니다. 청춘을 갈아 일하는 건 전공의들이면서도 동시에 대리 수술 의사 문제로 전공의들이 욕을 먹는 것처럼요. 선배들이 짓밟히는 모습을 본 의대생들은 바이탈 분야에 지원하지 않을 것입니다.

사람을 죽이려고 하는 의사는 단 한 명도 없습니다. 이러나저러나, 대한민국의 의료 선진국으로서의 수명은 이제 끝나가고 있는 것 같습니다.

시즌 2는 없어 보입니다.

켈로이드

죽음의 문턱에 있던 사람을 저승사자 빰 때리면서 살려낸다는 것은 생각보다 중독적인 일입니다. 누군가를 살린다는 것은 단순한 보람을 넘어, 도파민을 터뜨리는 고귀한 경험입니다. 그 순간만큼은 내가 한세상을 구하는 듯한 착각에 빠지게 됩니다.

내 몸이 망가지고, 가족과 멀어지며 소중한 사람들을 놓치면서까지 이 일을 지속하는 이유는 명예나 돈 때문이 아닙니다. 존경과 존중—사회가 나에게 지불하는 그 작은 대가 때문이었죠. 중증 의료 의사들이 기대한 삶은 대단한 것이 아니었습니다. 희생하면, 그에 상응하는 인정을 받는다는 단순한 거래였을 뿐입니다.

바이탈은 우리에게 날개였습니다. 지치고 힘들었던 날에도 사람을 살려내었다는 추억을 술잔에 담아 동기들과 웃고 울었습니다. 우리는 그냥 그게 좋았습니다. 그만두고 싶던 밤은 너무나 많았습니다. 그래도 결국 환자 옆에서 전해질 수치를 하나하나 교정하며 동기들과 웃었습니다. 그 작은 수치를 우리가 교정해냈다며. 스승님들의 가르침 또한 언제나 부드러웠고 자상했습니다. 심장내과를 세부 분과로 할까 혹은 중환자 의학을 해볼까 라는 허황된 꿈을 꾸기도 했습니다.

그중 하루가 기억납니다. 응급실을 통해 중환자실로 입원한 환자를 밤새 살려내고, 차가운 겨울 새벽에 떨리던 다리와 요동치던 심장을 uptodate 저널로 진정시키던 그 순간. 결국 환자를 살려 퇴원시킨 날, 보호자가 병원비가 비싸다며 고래고래 소리치던 모습이 선명하게 떠오릅니다.

대체 무엇이 문제일까요. 이상하게 시간이 지날수록 그 환자의 기억은 흐릿해져만 가고, 보호자의 목소리만 커져 갑니다.

하얀 종이에 있던 낙서를 지우기만 하면 백지화가 될까요. 모든 상처는 흉터를 남긴다고 합니다.

대리 수술

대한민국 젊은 의사들의 염원이 있습니다.
대리 수술하는 쓰레기들을 도려내는 것.

의사 면허를 담당하는 보건복지부에 간절히 부탁합니다.

어차피 죽을 사람

죽을 사람, 그러나 아직은 살아있는.
소생 가능성 10% 미만.

이런 상황에서 우리는 어떻게 해야 할까요.
환자를 살리는 것이 맞다면, 왜 과잉 진료로 간주할까요.
치료 중 그 환자가 사망하면 왜 소송이 발생하나요.
그러면 누가 이걸 할까요.

사망 시간

　드라마 속에서 의사들은 마치 죽음을 정확하게 예측하는 신과 같은 존재로 그려집니다. 그들은 마치 저승사자와 같은 능력을 지니고 있으며, 그 과정에서 따뜻한 가슴까지 지닌 명의로 비춰지죠. 하지만 저에게는 그런 이미지가 오히려 씁쓸한 기억을 불러일으킵니다.

　제가 기억하는 환자는 평소 건강검진조차 받지 않던 성인 남성이었습니다. 등산 중 심근경색이 발생해 타 병원에서 응급 시술을 받던 중 심정지가 찾아왔고, 우리 병원에 이송되어 중환자실에 입원하게 됐습니다. 매일 회진을 돌며 과장님과 함께 그의 상태를 고민했지만, 그의 죽음은 우리가 막을 수 없는 것이었습니다.

"오늘은 마음의 준비를 하셔야 합니다."

죽음을 예고하는 전화를 일주일 새 두 번이나 받은 보호자들은 이제 더 이상 의료진의 말을 신뢰하지 않았습니다. 다른 병원으로 옮겨 더 나은 치료를 기대했지만, 돌아온 것은 안 좋은 소식뿐이었으니까요. 그들에게 우리는 기대를 저버린 존재였고, 양치기 소년이 되어 있었습니다. 그러나 결국 피할 수 없는 순간은 찾아왔습니다.

새벽 1시, 당직 중이던 저는 그의 상태가 급격히 악화되었다는 보고를 받았습니다. 이번엔 정말로 마지막이었습니다. 보호자에게 즉시 와달라고 연락을 드렸지만, 1시간이 지나도, 1시간 반이 지나도 보호자는 오지 않았습니다. 2시간이 지났을 때, 환자의 모든 알람이 멈췄습니다. 보호자가 도착한 것은 그로부터 10분 후였습니다.

격리실에 들어온 보호자는 아무 말 없이 한참 동안 환자를 바라보더니, 갑자기 저를 향해 분노를 터뜨렸습니다.

"당신이 조금만 더 빨리 말했으면 임종을 볼 수 있었을 거 아니야!"
"다 당신 때문이야! 그러고도 네가 의사야? 의사냐고..."

그 보호자는 일주일 사이 세 번째로 "오늘 죽을 것 같다"는 전화를 받았던 가족이었습니다. 숨 막히는 일주일을 보냈지만, 남편이, 아버지가 살아나길 간절히 바랐겠지요. 우리는 그들의 일상과 감정을 망가뜨렸고, 결국 희망 대신 불안만을 남겼습니다. 그들의 고성과 비난은 10분간 이어졌고, 그제야 상황은 조금씩 고요해졌습니다. 이제 저는 해야 할 말을 해야 했습니다.

"0000년 00월 00일 00시 00분, 000님께서 사망하셨습니다. 애도를 표합니다."

생일 선물

삶과 죽음이 공존하는 곳, 병원. 3층 수술실에서는 아기가 태어나고, 7층 병동에서는 환자가 생을 마감합니다.

그날은 제 생일이었습니다. 어제 입원한 환자의 상태가 계속 신경 쓰여 불안한 마음으로 일하고 있었죠. 입원 직후 보호자에게 급사의 가능성을 설명했지만, 그런 일이 일어나지 않기를 간절히 바랐습니다. 불안감을 애써 눌러가며 일하던 중, 동기들이 그래도 생일이라며 간단히 케이크를 준비해 주었습니다. 막 케이크를 먹고 이야기를 나누는 순간, 병원에 울려 퍼진 코드 블루 방송.

"코드 블루, 000호, 내과."

직감적으로 그 환자라는 느낌이 들었습니다. 서둘러 뛰어가서 심정지 가이드라인에 맞춰 처치하고, 전문의 과장님께 연락을 드린 뒤 환자를 중환자실로 이송했습니다. 그러나 환자의 심장은 끝내 돌아오지 않았습니다.

환자가 사망한 후, 보호자 앞에 선 저는 그들의 슬픔을 마주하며 죽음의 이유를 설명했습니다. 부검하지 않은 상태라 확정적인 설명은 할 수 없었기에, 정황상 추론에 가까운 이야기를 전했습니다.

"입원하자마자 돌아가시는 게 말이 되냐고요?"
"어제 분명히 설명드렸습니다. 환자 판막에 균이 있었고, 그로 인해 매우 좁아져 있었으며 급사의 가능성이 언제든지 있었습니다."
"여기서 검사를 급하게 진행한 탓 아니에요? 그게 이유 같은데요."
"검사를 한 것은 수술 스케줄을 잡기 위해서입니다. 무리한 건 없습니다."

이제 보호자는 책임을 묻기 시작합니다.

"그러면 바로 수술했어야죠."

"검사 없이는 수술할 수 없습니다. 어디가 문제인지 또 다른 문제는 없는지를 파악해야 합니다. 무작정 심장을 열고 대충 닫는 것이 맞는다고 생각하세요?"

대화는 점점 책임 공방으로 흘러갔습니다. 그런데 보호자는 갑자기 제가 전해 듣지 못한 이전 병원에서의 상황을 꺼내기 시작했습니다.

"사실은 다른 병원에서 뇌에 염증이 있었는데, 그게 치료되지 않아 판막에 균이 생긴 게 아닐까요?"

"어제 여쭤봤을 때 그런 이야기 없으셨잖아요."

"어쨌든 그 병원에 소송 걸면 될까요?"

보호자의 태도 변화에 혼란스러웠던 저는, 다른 병원 치료에 대해 평가할 수 없다는 말을 남기고 자리를 피했습니다. 누군가의 죽음이 왜 온전히 의사의 책임으로만 남아야 하는지, 그 화살이 언젠가는 나를 향할 수도 있다는 두려움을 애서 감추며 당직실로 돌아왔습니다.

돌아와 보니 생일 선물로 받은 커피의 얼음은 다 녹아 물이 흥건했습니다. 그래도 아직은 차가운 커피를 마시며 혼잣말로 중얼거립니다. 올해 생일은 참 힘들다고.

스페셜리스트

모 과장님과 심부전 파트를 돌고 있을 때였습니다. 보통 심장 파트는 부정맥, 심근경색, 심부전으로 나뉩니다. 그 과장님은 특히 심부전 분야에서 오랜 경력을 쌓은 명의였습니다.

"김 선생, 요즘 의학은 정말 많이 변했지 않나?"

회진 중, 과장님께서 복도에 멈춰 서서 고개를 살짝 기울이시며 말씀하셨습니다.

"예전에는 한 분야를 잘하면 다른 분야도 그럭저럭 파악할 수 있었는데, 이제는 그럴 수가 없어요. 내가 심부전 분야에서 수십 년을 일했지만, 심장 이식에 대해선 나도 참 조심스럽거든."

과장님의 얼굴에는 오랜 경험에서 우러나온 고뇌가 서려 있었습니다. 그 말씀이 끝나자 과장님께서는 다시 다정한 미소를 지으며 덧붙이셨습니다.

"이제는 내가 다른 분야에 대해서는 아는 척하기도 어렵네."

마치 익을수록 고개를 숙이는 벼처럼, 그는 정말 겸손한 전문가였습니다.

그런데 그날, 아이러니하게도 우리는 전문가보다 더 자신감에 넘친 환자를 마주쳤습니다. 우리가 보기에는 그의 상태가 아직 불안정했는데도 말이죠.

"제가 생각할 땐, 전 이제 퇴원해도 될 것 같아요."

우리는 하려던 말을 잠시 멈추고 서로를 바라보았습니다. 과장님과 저는 눈빛을 교환하며 씨익 미소를 지었습니다.

그 순간, 우린 같은 생각을 했습니다.

잠시

인턴 때였습니다. 그날 제 업무는 심장 시술이 끝난 환자들의 바이탈을 확인하며 중환자실로 이송하는 일이었습니다. 유난히 환자 이송이 많은 날이었습니다. 스스로가 의사인지 이송반 직원인지 착각할 정도였으니까요.

그날 이송하던 환자는 60세가 채 안 된 젊은 아저씨였습니다. 갑작스럽게 발생한 심근경색으로 의식을 잃은 채 입원한 그는, 양쪽 다리에 인공 심장 역할을 하는 에크모가 연결되어 있었습니다. 시술실에서 중환자실로 이동하려고 나오자, 환자의 아내가 침대 옆으로 달려왔고, 아들은 한 발짝 뒤에서 그 모습을 가만히 지켜보고 있었습니다.

환자의 아내는 남편의 손을 꼭 잡고 눈물을 흘리며 끊임없이 말을 걸었지만, 아들은 일정한 거리를 유지한 채 말없이 뒤따르기만 했습니다. 충격이 커 보였습니다.

중환자실 문 바로 앞에서, 저는 잠시 멈춰 아들에게 말을 걸었습니다.

"중환자실은 면회가 어려워서요. 아빠한테 말 한마디라도 해보세요."

아들은 대답하지 않았고, 무언가에 억눌린 듯한 표정이었습니다. 그가 무거운 감정에 짓눌리고 있다는 것을 느끼며, 5초 정도 기다렸지만 결국 그는 말을 하지 않았습니다. 중환자실 문을 열고 환자를 다시 끌고 들어가던 중, 닫힌 문틈 사이로 아들의 목소리가 들려왔습니다.

"아빠! 힘내세요."

문이 닫히고 나서야, 아들은 그제야 실감했는지 엄마와 함께 울음을 터뜨렸습니다. 그래도 다행입니다. 그는 아버지에게 마지막으로 말을 걸 수 있었으니까요.

마지막 인사

 햇살이 가득한 날이었습니다. 창밖은 젊음과 꽃으로 물들어 있고, 연인들은 서로의 손을 잡고, 부모와 아이들이 웃으며 걷고 있었습니다. 그 따뜻한 햇살이 중환자실 창을 넘어 길게 그림자를 드리우고 있었습니다. 그러나 중환자실 안의 풍경은 이와 너무도 대조적이었습니다. 삑삑거리는 기계음이 가득한 그곳에서 우리는 자발 호흡이 힘들어진 할머니를 기계 호흡으로 전환하기 위해 준비하고 있었습니다.

 전날 아내의 상태를 전해 들은 할아버지가 노쇠한 몸을 이끌고 중환자실에 오셨습니다. 지팡이에 의지하며 천천히 걸어오는 그의 발걸음에는 다급함과 조바심이 느껴졌습니다. 마치 이제 막 두 발로 서려는 아이가 엄마에게 다가가고 싶지만, 그럴 수 없어 답답해하는 듯한 모습이었습니다.

힘겹게 아내의 침상에 다다른 할아버지는 떨리는 손으로 그녀의 주름진 손을 조심스럽게 감쌌습니다. 두 사람은 말없이 서로를 바라보다가, 그녀의 귀에 무언가를 속삭였습니다. 기계음에 묻힌 그의 목소리가 무슨 말인지는 알 수 없었지만, 그녀는 속삭임을 듣고 살짝 고개를 끄덕였습니다. 두 사람의 눈이 다시 마주쳤고, 몇 분 후 그는 자리에서 일어나 조용히 중환자실을 떠났습니다. 그녀는 그의 뒷모습을 한참 동안 쫓아보더니 이내 천장을 바라보며, 그와 함께한 추억을 마지막으로 되새기는 듯했습니다.

의사로서 수많은 죽음과 이별을 목격해 왔지만, 이처럼 고요하고 조용한 이별은 본 적이 없었던 것 같습니다. 마지막 순간, 할아버지는 그녀에게 어떤 말을 전했을까요?

함께 늙는다는 것은 어떤 의미일까요.

만약이 있다면

로버트 프로스트의 '가지 않은 길'이라는 시가 있습니다. 고등학교 수업 시간에 지나가듯 나온 시였지만, 이상하게도 인생에서 선택할 때마다 자꾸 떠오릅니다. 내가 처한 상황에 따라 새롭게 해석되는 이 시를 보니, 왜 사람들이 이 시를 명작이라 부르는지를 알게 됩니다.

의대만 입학하면 모든 것이 정해질 것 같았지만, 현실은 달랐습니다. 매 순간이 선택의 연속이었죠. 군대, 인턴, 레지던트, 그리고 병원까지. 그 모든 결정을 내리는 일은 쉽지 않았습니다. 제한된 가치관과 경험을 바탕으로 인생을 결정한다는 것이 얼마나 어려운 일인지, 매번 갈림길에 설 때마다 느끼곤 했습니다.

의학에는 병에 따른 가이드라인이 참 많습니다. 별의별 가이드라인을 보다가, 내 인생도 선택이 어려울 때면 이런 게 있었으면 좋겠다는 종종 생각도 해봅니다.

이제 와 돌아보니, 제가 지나온 길은 항상 밝고 아름답기만 한 건 아니었습니다. 하지만 그 길 위에서 만난 동료들, 그들이 비춰준 빛과 함께 들고 온 도움 덕분에 저는 끝내 그 길을 걸을 수 있었습니다. 그들이 없었다면, 저는 이 길을 계속 걸어갈 수 없었을지도 모릅니다. 함께한 덕분에 이 길은 행복한 가시밭길이었습니다.

가끔 전공을 다시 선택해야 한다면 어떨까 생각해 봅니다. 내과 레지던트의 고단함과 힘듦을 떠올리면 쉽게 내과를 선택하기는 어렵겠지만, 그래도 1~2순위 안에는 들 것입니다. 물론, 같은 병원, 같은 동기들, 같은 스승님들이 함께하는 조건이라는 가정하에.

'노란 숲속에 길이 두 갈래로 났었습니다. / 나는 두 길을 다 가지 못하는 것을 안타깝게 생각하면서, / 오랫동안 서서 한 길이 굽어 꺾여 내려간 데까지, / 바라다볼 수 있는 데까지 멀리 바라다보았습니다.'

    - (Robert Frost, 1874~1963)

사망 선고

잊기 힘든 장면들이 저마다 있다고 합니다. 여자친구를 처음 만났던 순간이라든가, 혹은 자신의 아이를 낳은 순간이라든가. 이런 낭만적인 순간만 기억되면 얼마나 좋겠습니까만, 우리는 종종잊을 수 없는 창피한 기억에 죄 없는 이불을 팡팡 발로 차기도 합니다.

제게도 방금 겪은 일처럼 생생하게 떠오르는 순간이 있습니다. 그것은 낭만적이거나 창피한 일이 아닌, 내과 의사로서 처음 겪은 사망 선고의 순간입니다.

당직 시간에 죽음이 임박한 환자가 있다는 인계를 받았습니다. 그는 다른 환자들과 분리된 처치실에서 가족들과 함께 있었습니다. 새벽이 다 가올수록 그의 눈은 점점 빛을 잃어가고 있었습니다. 그를 둘러싼 가족들은 숨을 죽여 바라만 봤습니다. 소리 없이 깜빡거리는 알람만 끈다면, 마치 시간이 멈춘 듯이 고요했습니다.

손자와 손녀는 할아버지의 발목에 손을 올린 채, 움직임 없이 굳어 있었습니다. 숨이 멈추는 순간을 생생하게 지켜보는 것이 과연 좋은 일일까요? 환자는 그렇게 기억되기를 원할까요, 아니면 마지막까지 곁에 있어주기를 바랐을까요? 여러 생각이 머릿속을 스치던 중, 그의 심장이 멈췄습니다.

"0000년 00월 00일 00시 00분, 000 님께서 사망하셨습니다. 명복을 빕니다."

제가 사망을 확인하고 선고하자, 마치 그 순간이 울어도 된다는 신호라도 된 듯 보호자들은 서럽게 울기 시작했습니다. 침묵으로 가득했던 처치실은 이제 흐느낌과 울음소리로 가득 찼습니다.

몇 분 뒤, 보호자들은 쏟아내던 울음을 다시 참아내며 이제 망자가 된 그를 병원 밖으로 데리고 나갔습니다.

당직실로 돌아와 잠을 청해보지만, 마음이 싱숭생숭합니다. 이러한 종류의 일에 앞으로 익숙해져야 한다는 사실이 저를 더 짓누릅니다.

아, 정말 쉽지 않은 일입니다.

녹음기

벌써 새벽 2시입니다. 잠깐이라도 눈을 붙일 시간도 없이 중환자실에는 환자가 입원합니다. 아픈 것에는 시기가 없으니, 누구를 탓하겠습니까. 졸린 눈을 억지로 뜨며 맞이한 환자는 꽤 위태로운 상태였습니다. 적절한 처치가 없다면 죽을 수도 있는 상황이었습니다. 여러 신체 진찰과 검사 결과를 확인한 후, 간단히 치료 계획을 세우고 보호자들을 만나러 나갔습니다.

두 번의 출입증을 찍고 중환자실 밖으로 나가니, 약 10명 정도의 보호자가 복도에서 기다리고 있었습니다. 이 사람들이 전부 보호자가 아니길 바라며 "000님 보호자 분?"이라고 외쳤지만, 그들은 모두 보호자였습니다.

그들 사이로 저 멀리 앉아 있는 할아버지, 즉 주 보호자가 보였습니다. 피곤과 걱정으로 지친 모습이 역력한 그는, 제 설명을 차분히 들을 준비가 되어 있지 않아 보였습니다. 환자의 상태를 설명하기 위해 그에게 다가가려는 순간, 누군가가 제 앞을 막아서며 말했습니다.

"우리한테 말하세요!"
"주 보호자분께 먼저 설명 드려야 합니다."

보호자들을 피해 할아버지 앞에 서자, 그는 힘겹게 일어났습니다. 그의 불안한 눈빛은 저를 향하지 못했고, 전혀 준비되어 보이지 않았습니다. 여러 상황을 고려해 살 가능성도 충분히 남아 있다는 위로의 말을 건네려던 순간, 핸드폰 알림음이 우리 사이를 갈랐습니다. 띠링. 녹음기였습니다. 지긋지긋한 녹음기.

하려던 말을 멈추고 주위를 둘러보니, 4명의 보호자가 핸드폰을 들고 있었습니다. 보호자분들은 많이 두려워 보였습니다. 정신없는 지금은 의사 말이 잘 들리지 않을 수도 있습니다. 그렇기에 그들은 녹음할 수밖에 없었을 것입니다. 그들의 상황이 이해되지만, 저 또한 소송의 두려움 안에서 자유로울 순 없었습니다.

좋은 소식만 주지 못해 죄송한 마음을 감춘 채, 냉정하고 사실 위주로 조심히 상황을 전달하기 시작했습니다.

"000님은 돌아가실 수 있습니다. 너무 늦게 오셨고, 병원에서 최선의 치료를 다했으나 늦게 오셨습니다. 살 수도 있으나 죽을 수도 있습니다."

그러자 보호자들은 즉시 반박했습니다.

"아까 시술해 주신 선생님은 무조건 산다고 그랬는데요? 아까 녹음한 것 좀 들어봐요!"
"오늘 밤 당장에라도 죽는다는 건가요?"

아차, 제가 시술해 주신 과장님과 다른 말을 해서 보호자들을 더 불안하게 만든 것 같습니다. 더 신중했어야 했는데. 이제 그들은 저에게 꼬치꼬치 묻기 시작할 것입니다. 만나는 의사들마다 말이 다르니 당연한 반응입니다.

"오늘 밤에는 돌아가실 것 같지 않습니다."
"100% 확실한 거죠? 책임지실 수 있죠?"

이런 질문들이 반복되자, 저는 보호자들이 원하는 말을 줄 수 없다는 사실을 또 한 번 깨달았습니다. 결국 문장에서 희망을 살짝 빼고 사실을 더했습니다. 그리고 그 말들은 결국 할아버지에게 깊은 상처를 남겼습니다. 죄송하게도.

"더 빨리 모시고 오셨으면 어땠을까 합니다."

녹음기에 겁이 난 제가 만든 또 하나의 불안은 눈덩이처럼 커져 보호자들이 겁을 먹게 되었습니다. 그들은 다른 의사와의 대화를 확인하라며 계속 핸드폰을 들이밀었고, 저는 또다시 희망을 빼고 사실만을 전달하게 되었습니다.

그날 밤, 우리는 모두 서로의 책임감에 짓눌렸습니다.

싸이코패스 의사

6인실 병실, 저는 할머니의 발끝에 서서 헐떡이는 그녀를 바라보고 있었습니다. 제 환자의 소생 가능성은 이제 없었고, 그녀의 죽음이 다가오는 것을 그저 지켜볼 수밖에 없었습니다. 치료 과정을 처음부터 다시 점검해 봐도, 더 이상 해줄 수 있는 것은 없었습니다. 이제 제가 할 수 있는 유일한 일은 더 이상 아무것도 하지 않는 것이었죠. 사실, 보호자는 이미 입원할 때부터 어느 정도 체념한 상태였기에, 저만 포기하면 되는 일이었습니다.

병실에 울리는 알람 소리는 마치 '여기 사람이 죽어가고 있어요!'라고 외치는 듯했습니다. 귀가 먹먹해진 저는 신경질적으로 알람 소리를 끄고, 멍하니 그녀의 발치에 서 있었습니다. 그러자 같은 병실에 있던 다른 환자의 보호자가 제게 말을 걸었습니다. 그의 눈빛 속에는 원망과 두려움이 가득했습니다.

"뭐라도 좀 해봐요! 의사가 그냥 죽는 걸 지켜볼 거예요?"
"아니, 싸이코패스 아니야? 중환자실로 내려가서 뭔가 해야 하지 않아?"

그 말에 내 마음속 한구석에서 무언가가 무너졌습니다. '싸이코패스 의사'라니. 저는 과격하게 커튼을 치고, 다시 환자 옆에 조용히 서 있었습니다. '나도 이 환자를 살리고 싶었어.'라는 말이 목구멍까지 차올랐지만, 꾹 참았습니다. 소리친다고 이해받을 일도 아니니까요.

가만히 그녀를 보다 이불 밖으로 삐져나온 앙상한 오른발이 눈에 들어왔습니다. 이불로 덮어주기 전에 손끝을 살짝 올렸습니다. 아직도 붙잡고 싶은 마음을 손끝에 담아, 다가올 죽음에 나만의 애도를 표했습니다. 그녀가 따뜻했던 의사의 손을 기억하길 바라며, 조용히 작별을 고했습니다.

보호자의 편지

병동을 통해 보호자의 편지가 전달되었습니다. 직접 인사드리지 못해 죄송하다는 말을 남겼다고 합니다.

"저희 오늘 병원에서 퇴원합니다.
감사함이 커서 인사를 꼭 드리고 싶었습니다.
눈높이 맞춰주시고 공감해 주시고 큰 힘이 되었습니다.
꽤 오래 기억이 날 듯한데 제가 믿는 하나님께 기도합니다.
실력도 뛰어나고 마음도 만져주시는 선생님이 되시기를."

보호자도 건강하시기를.

저승사자

드라마 '도깨비'의 저승사자의 업무를 다루는 회차에서 급사한 응급실 의사가 나옵니다. 사람을 살리던 도중, 죽은 의사는 저승사자에게 환자는 살았냐고 묻습니다. 환자는 살아났다고 대답해준 저승사자는 그 의사를 사후세계로 인도하는 아주 짧은 장면이었습니다.

병동에서 발생한 심정지 환자가 중환자실로 입실했습니다. 이번 달에 만 벌써 세 번째로 중환자실로 입실한 익숙한 환자의 얼굴을 보다 문득 저승사자가 떠오릅니다. 저승사자가 있다면 의사는 필요한 걸까. 저승사자라는 존재가 있다면 내가 하는 이 모든 짓이 의미가 있는 걸까. 쓸데없는 생각도 덧붙입니다.

다음 날 아침 일찍, 보호자가 중환자실 앞에서 저를 기다리고 있었습니다. 저는 내심 반가웠던 것도 같습니다. 보호자는 배려심이 넘치고 착한 사람이었으니까요. 하지만 보호자들은 아니었나 봅니다. 제가 건넨 반가움이 담긴 물을 그들은 마시지 않았으니까요. 그들에게 나는 의사였을까? 저승사자였을까? 처음 만났을 때는 아니었겠지만, 이제는 그렇게 보일 수도 있겠다는 슬픈 생각이 들었습니다.

보호자 상담실에서 마주한 그들은 제 생각보다 훨씬 지쳐 있었습니다. 병원을 왔다 갔다 하는 신체적 피로보다는, 언제 울릴지 모르는 병원의 전화가 그리고 올 때마다 전해지는 최악의 소식들이 그들을 점점 지치게 했다고 합니다. 시간이 지날수록 그들은 적극적인 치료에 대한 의지를 조금씩 내려놓고 있었습니다.

며칠 뒤, 환자가 호전되어 일반 병동으로 올라갔습니다. 그날, 보호자들은 DNR 동의서를 작성했습니다. 환자는 더 이상 중환자실로 내려오지 않았고, 의사도 저승사자도 아닌 나를 만날 일도 없었습니다.

왜

'의사는 사람의 아픔을 이용해 돈을 버는 직업이다.'라는 말을 달고 사는 사람들을 가끔 만납니다. 언뜻 들으면 맞는 말처럼 들릴 수 있지만, 중환자실 담당의였던 제겐 참으로 씁쓸한 말입니다. 솔직히 말하면, 일할 맛을 떨어지게 하는 데는 완벽한 문장이라고 생각합니다.

중환자실 회진을 돌다 보면 종종 보게 되는 심장 환아들이 있습니다. 손바닥만큼 작은 아이들의 이름표 아래엔 이들이 살아온 기간이 적혀있습니다. N 달 혹은 N 주차. 제대로 울지도 못할 정도로 가녀린 아이들을 가만히 보고 있자면, 대신 울고싶은 감정이 치밀어 오르기도 합니다. 이 아이를 낳은 어머니는 얼마나 자책하고 있을까. 쓸데없이. 너무나도 작은 아이들의 고통은 이토록 크고, 저는 의사로서 작고 보잘것없는 존재로 느껴지기도 합니다.

'왜 우리는 장애를 가지는 걸까.' '왜 우리는 아파야 하는 걸까.'라는 질문은 종종 '환자가 없는 사회, 의사가 없는 세상이 오면 좋겠다.'는 망상의 종착점에 이릅니다.

저는 정말로 그런 세상이 오길 바랍니다. 미숙아를 낳고 자책하는 어머니가 없는 세상, 암으로 자식을 잃은 아버지가 없는 세상, 선천적으로나 후천적으로 아픈 다리가 완치되는 세상.

자책하는 어머니가 없고, 의사도 필요 없는 세상. 그 꿈은 비현실적일지 모르지만, 가끔 그 꿈을 마음속에 간직하며 환자들 앞에 섭니다. 다시는 나를 만나지 않길 바라며.

Chapter 3. 질문

무엇이든 물어보세요

의대 학비

'의대는 돈이 많이 든다.'라는 말은 제가 의대에 입학한 이후, 부모님께서 주변 사람들에게 자주 들으셨던 이야기입니다. 주변에 의대를 다니는 사람이 없었기에 저와 부모님은 어느 정도 걱정이 있었습니다. 하지만 막상 등록금을 고지받아 보니 공과 대학과 큰 차이가 없어서 안도의 한숨을 내쉬었습니다. 공대에 비해 2년 정도만 더 다니는 것이니, 그 정도는 괜찮지 않겠느냐고 생각했었죠. 단순히 산술적으로만 보면 큰 차이가 나지는 않는 셈입니다.

그러나 실제로 들여다보면 의대는 돈이 꽤나 많이 드는 전공입니다.

우선, 공대와 달리 이공계장학금 같은 국가장학금 대상이 아닙니다. 또한 의대는 본과로 진입하는 순간(일반 대학으로 치면 3학년)부터 알바나 과외를 하기가 매우 어렵습니다. 틈틈이 과외를 하는 친구들도 있지만, 이는 정말 특별한 경우입니다. 대부분의 학생들은 스스로 돈을 마련하기가 힘들다고 보시면 됩니다. 이 점에서 명문 공대 친구들이 과외를 지속할수 있는 것과 차이가 나기 시작합니다. 즉, 전적으로 부모님의 경제적 지원에 의존해야 한다는 것입니다.

카페 알바, 식당 알바를 지원하는 일도 쉽지는 않습니다. 학교마다 다르겠지만, 본과에 들어가면 방학이 3주 정도밖에 되지 않거든요. 일반적인 카페 알바의 기간이 최소 1달 이상임을 감안하면, 구직은 어려운 축입니다. 호텔 서빙 알바와 같은 일일 알바의 경우에는 지원 할 수도 있지만, 2주 기간의 방학동안 며칠이나 할 수 있을까요. 쉽지 않은 일입니다.

또한 6년이라는 시간은 생각보다 깁니다. 누군가에겐 그 시간 동안 투자해서 대박을 낼 수 있는 시간이고, 사업이 번창할 수도 있는 시간입니다. 반대로 항상 건강할 것만 같던 부모님의 건강이 무너지거나, 사업이 흔들리기에도 충분한 시간입니다. '의대는 돈이 많이 든다.'라는 말은 이런 맥락에서 보면, 저는 동의할 수밖에 없습니다. 더군다나 가정의 경제 상황이 어려워지면, 많은 의대생들은 멘탈이 조금씩 무너져 결국 유급을 당해 경제적 어려움이 더욱 증폭되기도 하거든요.

정리하자면, 단순한 산술 계산으로만 보면 공대에 비해 2년만 추가되는 금액이지만, 여러 상황을 종합적으로 따져보면 '돈이 많이 드는 전공'이 맞습니다.

의대 적성

제가 이제까지 해온 일중 제 적성에 딱 맞는 일은 없었던 것 같습니다. 내과 의사라는 옷은 가끔은 제게 너무나도 컸고, 또 가끔은 옥죄임이 심해 당장이라도 벗고 싶었습니다. 유튜브도 마찬가지였습니다. 아이디어가 고갈되었을 때나 조회 수가 잘 안 나올 때면 한없이 우울해지기도 하며, 유튜버마저 적성이 아닌 것처럼 느껴지기도 했습니다.

수험생들이 종종 의대에 대한 적성을 물어보곤 합니다. 사람을 살리는 게 맞을지 모르겠다든지, 자기는 돈을 너무 좋아한다든지. 근데 적성이 뭐 그렇게 중요한가 싶습니다. 사실 적성이라는 건 맞춰나가면 되는 거거든요. 그리고 주변 환경에 따라 가치관은 변하기 마련이구요.

우리는 살면서 수많은 경험을 하게 됩니다. 그리고 그 경험들은 결코 그 자체로만 남아 있지 않습니다. 시간이 흐르면서 퇴색되거나 각색되어, 우리의 관점을 넓히기도 하고 때로는 좁히기도 하며, 결국 그 경험들은 사람을 변화시킵니다. 적성도 이와 다르지 않습니다. 부모님의 품 안에서 작은 틈새로만 보였던 사회가, 대학에 진학하며 한 걸음 나와 마주하게 될 때, 우리는 비로소 '나만의 시각'을 형성하게 됩니다.

적성은 결국 환경의 영향을 크게 받는 것 같습니다. 어릴 때는 부모님의 주관이나 학교 선생님의 이야기가 환경이었다면, 의사가 된 후에는 동기들이나 사회적 분위기가 적성에 영향을 주는 환경이 되겠죠. 때로는 그 분위기에 휩쓸려 잘못된 선택을 하기도 하지만, 결국 그 선택에 적응해 나가기도 합니다. 그래서 적성이란, 우리가 그 환경에 얼마나 잘 적응할 수 있느냐에 달린 문제일지도 모릅니다.

의대 성적

의대에서 가장 힘든 게 뭐냐고 물어보면 단연코 '시험'이라고 말할 수 있습니다. 조금 더 구체적으로 표현하자면 시험 성적 가지고 줄 세우고, 그걸로 서로 무시하는 의대의 경쟁적인 분위기라고 말할 수 있습니다.

관동 의대 본과 1학년일 때, 모든 본과 1학년들은 제 4 생활관이라는 기숙사에서 함께 살았습니다. 지금 생각해도 이해가 되지 않지만, 그 당시 본과 시험은 볼 때마다 성적을 교실 뒤에 바로바로 붙였습니다. 아마 교수들은 그것을 일종의 재미나 의대생이라면 받아들여야만 하는 문화로 여겼던 것 같습니다.

그 효과는 정말이지 대단했습니다. 노력에 비해 성적이 잘 나온 학생들은 자기보다 공부를 못한 학생들을 머리가 나쁜 것 같다며 조용히 말하거나 은근히 무시했습니다. 저는 이런 종류의 분위기를 대단히 힘들어했습니다. 그러한 경쟁에 신물이 난 저는 동기들이 공부하는 시간에 자고 모두가 자는 시간에 일어나서 공부했습니다. 잘한 건 아니지만 그냥저냥 평범하게 졸업했습니다.

동기들과의 관계가 파탄 나면서까지 성적에 집착하는 이들도 있었습니다. 하지만 그들도 곧 깨닫게 되었습니다. 성적이 모든 걸 보장해 주지 않는다는 것을요. 순탄하게 합격할 것만 같던 레지던트를 두 번 떨어지고 나서야 주위를 둘러보며 자신이 잃어버린 것들을 깨달은 동기들도 있습니다.

성적, 그게 뭐 얼마나 중요할까요. 결국 중요한 건 나와 함께 의업을 걷는 나의 동기들이자 형제들 그 자체가 아닐까요. 아무리 생각해도 저는 그렇게까지 살아야 하는 이유를 모르겠습니다.

유튜브

"유튜브를 왜 시작하셨나요?"라는 질문은 의사 모임에 나갈 때마다 빠지지 않는 단골 질문입니다. 그때마다 저는 똑같이 대답합니다. "돈이 된다고 해서 시작했는데, 실제로는 돈이 안 되더라고요." 솔직한 대답에 웃음이 터지기도 하지만, 종종 질문한 상대가 당황한 표정을 짓기도 합니다.

유튜브에 대해 처음 진지하게 생각을 해본 건 본과 3학년 실습생 때였습니다. 의대생이 처음으로 진짜 '의사' 비슷한 일을 하게 되는 시기죠. 실습이 시작되면서 목에 청진기를 걸치고, 명찰을 단 채 교수님의 뒤를 따라다녔습니다. 병원 복도를 오가며 마치 의사가 된 듯한 기분이 들었죠.

그날도 교수님을 따라 보호자에게 수술 결과를 설명하는 모습을 지켜보고 있었습니다.

교수님은 보호자에게 의학 용어를 가득 채운 설명을 쏟아내고 있었고, 보호자는 고개를 끄덕이며 마치 모든 것을 이해한 듯 보였습니다. 그러나 저는 뭔가 부자연스러움을 느꼈습니다. 마치 생화학 수업 시간에 교수님의 설명을 전혀 이해하지 못하면서도 그저 고개만 끄덕이던 제 모습이 오버랩 되었습니다.

회진이 끝난 후, 저는 그 환자와 보호자를 다시 찾아가 교수님이 설명한 내용을 잘 이해하셨는지 물어봤습니다. 놀랍게도, 그들은 단 하나도 이해하지 못했다고 말했습니다. 내가 느꼈던 어색함은 틀리지 않았던 겁니다. 환자와 보호자의 고개 끄덕임은 이해표시가 아니라, 그저 무력한 수용의 제스처였던 거죠.

이 간극을 줄여야겠다는 생각은 그때부터 시작되었습니다. 의사와 환자 사이의 벽은 제가 상상했던 것보다 훨씬 더 높고, 두꺼웠습니다. 의사가 아무리 정성스럽게 설명해도, 환자가 이해하는 것은 그에 비해 극히 일부였습니다. 환자의 기대와 현실은 언제나 동떨어져 있었죠. 그래서 두 집단 간의 오해는 눈덩이처럼 커져만 가는 것 같았습니다.

저는 유튜브를 통해 이 간극을 조금이라도 좁히고 싶었습니다. 왜 응급환자는 제때 수술받지 못하는지, 왜 내과는 중요한지, 왜 의료 시스템은 이렇게 작동하는지를 환자들이 더 쉽게 이해할 수 있게 하고 싶었습니다.

6년간 유튜브를 운영하면서, 의사라는 직업의 현실을 누구보다 솔직하게 보여줬다고 생각합니다. 여러 사회 사태 때문에 내과 레지던트라는 타이틀이 주홍 글씨처럼 변해갔지만, 많은 수험생과 의대생들이 제 채널을 통해 의사의 삶을 더 생생하게 목격할 수 있었다고 생각합니다. 돈은 많이 벌지 못했지만, 여러분이 상상했던 의사와 현실의 의사 사이의 차이를 조금이라도 좁힐 수 있었다면, 그래서 여러분의 꿈이 더 선명해지고 구체화되었다면, 그것만으로도 저는 충분히 보람을 느낍니다. 그리고 그게 저를 행복하게 만듭니다.

의사와 환자 사이의 간극을 줄이기 위해 다리를 놓는 사람이 되고 싶었습니다. 그리고 그 다리가 되어, 여러분에게 조금이라도 다가갈 수 있었다면, 의사 유튜버로서 성공한 삶이라고 생각합니다.

인턴

의대를 6년간 수료하고 의사 면허 시험에 합격하면 비로소 의사가 됩니다. 특히 남자 의사들에게는 이때 세 가지 선택지가 주어집니다. 첫 번째는 의사 면허를 가지고 현역으로 입대하는 것, 두 번째는 공중보건 의사로 병역을 해결하는 것, 그리고 세 번째는 수련 병원에서 인턴 생활을 시작하는 것입니다. 대부분의 의사들은 세 번째 길을 선택하죠. 앞으로는 첫 번째 선택이 더 많아질 것 같지만요.

병원에서의 인턴은 흔히 말하는 회사 인턴과는 다릅니다. 회사의 인턴은 정규직과 계약직 사이 어딘가에 위치하며, 책임이 적고 주로 잡무를 담당합니다. 반면, 병원 인턴은 '수련의' 개념입니다. 병원 내 의사 직급 중 가장 낮은 위치에 있지만, 그럼에도 불구하고 의사 면허를 가지고 있는 만큼 책임은 온전히 본인이 져야 합니다. 가끔 소송이 걸리면, 병원에서 보호를 해주지 않습니다. 의사로서 갖는 책임감은 요구되지만, 대우는 그야말로 밑바닥인거죠. 얼마나 낮은 대우냐 하면, 많은 레지던트가 "1년차 레지던트는 한 번 더 할 수 있지만, 인턴은 두 번은 못 하겠다"라고 말할 정도입니다.

인턴은 말 그대로 병원 내에서 가장 밑바닥에 있어, 다른 직역들이 하기 싫어하는 모든 일을 떠맡습니다. 환자를 이송할 때 침대를 미는 것도, CT 촬영할 때 방사선을 한 몸에 받는 것도 인턴의 몫입니다. 때로는 물품을 가져오거나 교수들의 의자를 세팅하고, 회식 장소를 알아보는 일까지 해야 합니다. 심지어 레지던트가 간호사에게 지시해야 할 일도 인턴이 간호사 대신할 때가 많습니다. 이런 일들은 교수들이 묵과하는 수준을 넘어 당연하게 받아들이고 있습니다.

그렇다면, 왜 이렇게 굴욕적인 대우를 받으면서도 인턴 생활을 하는 걸까요? 그 이유는 바로 '인턴 점수' 때문입니다. 인턴 점수는 전공 선택에 매우 중요한 요소로, 3월부터 12월까지의 점수를 종합하여 A, B, C 등급으로 나뉩니다. 이 점수는 주로 해당과의 과장이 매기는데, 좀 덜떨어진 일부 과장들은 의사의 의견을 배제한 채 병동 간호사들의 의견만을 묻기도 합니다. 본인도 의대 교수인지 간호대 교수인지 헷갈린 것 같습니다. 그러다 보니 좋은 평판을 얻기 위해 불합리한 일을 묵묵히 감내할 수밖에 없습니다. 평가 점수는 교수들이 주지만, 유통 과정에서 '갑질'이 조금씩 끼어들게 되는 것이죠.

인턴은 소송의 위험에도 불구하고 제대로 보호받지 못하며, 대다수의 의료 행위에 깊이 관여하고 있습니다. 최근에 1년간의 인턴 생활로는 전공 선택이 어렵다는 이유로 인턴 기간을 2년으로 늘리겠다는 이야기가 나오고 있는데, 저는 이 소식에 경악을 금치 못했습니다. '갑질'을 더 지속하겠다는 발상이라니, 악마들을 보는 줄 알았습니다. 차라리 의대 실습을 강화하고 현실에 맞게 조정하는 것이 더 나은 해결책 아닐까요.

레지던트

앞서 인턴이 무엇인지 설명드렸습니다. 인턴을 수료하게 되면 다시 세 가지 선택지로 나뉩니다. 첫 번째는 자신이 원하는 전공의 레지던트로 지원해 일하는 것이고, 두 번째는 수련을 여기까지만 하고 일반의로 일을 하는 것입니다. 세 번째는 군대를 가는 선택입니다. 2024년 2월 20일 이전에는 많은 인턴 선생님들이 첫 번째 안을 선택했습니다. 뭔가를 전공하여 전문가가 되는 것이 자존감에 큰 영향을 미치기 때문입니다.

레지던트는 대학원에서 세부 전공을 하는 것에 비유할 수 있습니다. 레지던트는 대학원생처럼 자신의 병원에서 환자를 돌보며 논문을 작성해야 합니다. 이공계 대학원생과의 차이라면, 주 80시간을 근무하면서 최대 34시간 연속 근무해야 하고, 환자에 대한 책임과 함께 의료 소송에 휘말릴 수도 있다는 점입니다. 또한, 전문가들끼리만 대화하는 것이 아니라 환자와 보호자를 직접 대면해야 한다는 점도 큰 차이점입니다.

내과 레지던트들은 보통 주치의를 맡습니다. 밤사이 환자의 증상 변화, 생체 징후, 아침에 시행한 피 검사, 엑스레이, 심전도 결과를 확인하며, 이 자료에 따라 약을 변경할지, 퇴원시킬지, 타과로 전과할지를 결정합니다. 암 환자의 경우에는 항암 스케줄을 잡고, 수술이 필요한 환자는 수술 의뢰를 진행합니다. 또한, 타과에서 심정지가 발생하면 서포트를 위해 부랴부랴 달려가기도 합니다.

여기서 인턴과 가장 큰 차이점이 발생하는데요. 그건 책임감입니다. 인턴일 때는 보통 한 가지 술기만 수행하면 그 환자와의 관계가 끝나는 느낌이었다면, 내과 레지던트로서는 환자의 모든 상태 변화를 책임져야 합니다. 병원에 어머니를 맡겨두고 연락이 없는 보호자에게 전화를 걸어 이제 모셔가라고 말해야 하기도 하고, 상태가 급격히 악화되는 환자에 대해 보호자를 설득해가며 치료 방향을 이해시키는 일도 제 몫입니다.

정이 든 환자가 서서히 죽어가는 모습을 지켜봐야 할 때도 있고, 보호자들에게 무의미한 심폐소생술을 계속 진행할지를 물어야 할 때도 있습니다. 우리는 환자와 보호자의 감정을 수 차례 난도질하기도 하고, 반대로 그 감정에 상처받기도 합니다.

결국, '내 환자'라는 책임감이 인턴과 레지던트의 가장 큰 차이 아닐까요. 물론, 엄밀히 말하면 그 환자들은 레지던트를 교육하는 교수님의 환자이지만요.

34시간 근무

유튜브가 최고의 부업이라는 말이 있습니다. 많은 직장인이 유튜버를 꿈꾸며 부가적인 수입을 위해 도전한다고 합니다. 그러나 유튜브 6년 차로서 그 말에 동의하기 어렵습니다. 유튜브는 본연의 캐릭터성을 유지하면서도 최신 트렌드를 따라가야 한다는 점에서 생각보다 어려운 직업이거든요. 또한, 매번 같은 콘텐츠를 반복하다 보면 어느 순간 재미가 없어지기 마련입니다.

제 유튜브도 그랬습니다. 어느 순간, 뭘 해야 할지 모르는 시기가 왔고, 매번 올리던 콘텐츠가 재미없게 느껴지던 그 순간, 트렌드를 따른 34시간 브이로그를 시작해 봤습니다. 다행히 많은 사람이 좋아해 주셨습니다. 특히, 같은 내과 의사 선생님들이 더 많이 호응해 주셨고, 자신들의 고생을 알려줘서 고맙다는 인사도 많이 받았습니다.

34시간 브이로그는 의사들의 과도한 업무 시간을 알리면서 동시에 의사를 꿈꾸는 의대생이나 고등학생들에게는 현실적인 다큐멘터리입니다. 하루가 24시간인데 34시간 근무는 가능할까요? 정답은 '아니오'입니다. 솔직히 말하면, "뒤질 것 같다."라는 말이 입에서 끊임없이 나옵니다. 긍정적인 성격임에도 불구하고, 34시간 근무를 주 2회 하게 되는 마지막 날에는 분노가 몸을 지배하는 수준입니다. 어떤 날에는 가벼운 농담마저도 날카롭게 받아들여질 때가 있었습니다. 문제는 나만 힘든 것이 아니라, 밤샘 근무는 결국 다음날 환자들에게까지 영향을 미친다는 점입니다. 잠을 한순간도 못 잔 날에는 환자 이름조차 기억나지 않을 때도 있었으니까요.

미국에서는 34시간 근무로 인한 과로로 발생한 사건이 있었습니다. 미국 전역은 레지던트를 비난하기보다는 과도한 근무 시간에 경악했고, 결국 이러한 살인적인 스케줄을 법으로 금지 시켰습니다. 하지만 한국은 다릅니다. 주 80시간 근무도 부족하다고 없애자는 주장이 나오는 상황이니 말입니다. 이런 문화가 이제는 없어져야 한다고 생각하지만, 윗분들은 오히려 강화해야 한다고 믿는 것 같습니다. 사람들의 생각은 참으로 다채롭습니다.

각자의 이해관계와 처한 위치에 따라 관점은 다르겠지만, 저는 34시간 근무가 합당한 근무조건이라고 생각하지 않습니다. 레지던트의 업무량이 많든 적든 중요한 것은 연속 근무 시간을 줄이는 것이라고 생각합니다. 그만큼은 병원에서 더 많은 의사를 고용하는 것이 맞지 않을까요? 병원이 돈이 없다면 정부와 협력해야지, 레지던트를 더 혹사시키는 것은 올바른 해결책이 아닙니다.

평범한 사람

'그런데요. 본인은 군대 가기 싫어서 의대를 갔고, 사람을 살리는 일을 하기 싫어했는데 내과 의사를 했잖아요. 그 정도 생각이니까 이런 일을 하는 거 아니에요?'

제 유튜브에 달린 댓글이었습니다. 평소 제가 스스로 끊임없이 던졌던 질문이어서 그런지 꽤 반가웠습니다. 나는 정말 이 일을 왜 하고 있는가? 의사가 되기로 한 이유가 거창하지 않았습니다. 문과와 이과, 공대와 의대 사이에서 갈팡질팡하던 평범한 고등학생이었죠. 군대가 싫어서 의대를 선택하고, 사람 살리는 일을 동경하면서도 굳이 내가 하고 싶지 않았던 쫄보 의사였습니다. 모든 순간, 저는 미래에 대한 확신은 없었습니다. 돌아보면, 바이탈 과만 피하면 그저 흘러가듯 의사로 살아갈 것 같았죠.

그렇게 바이탈은 절대 하지 않겠다고 다짐했지만, 결국 중환자실을 맡은 내과 레지던트가 되어 있었습니다. 그리고 아이러니하게도, 그 일을 하면서 행복을 느끼고 있었습니다.

다시 말하지만, 저는 의사가 되는 데 큰 뜻이 없었습니다. '그래도 전문의 자격증은 있어야 하지 않나?'라는 안일한 생각을 하기도 했죠. 특히, 일반의로 일하던 시절 모 의원에서 모멸적인 말들이 영향을 미치기도 했습니다. 그러다 내과 레지던트로 일하게 되었고, 처음으로 주치의 역할을 맡았습니다. 여러 사건을 겪으면서 '명의가 될 수 있겠다'는 생각은 다시 사라졌지만 말입니다.

내과 레지던트로서 34시간 근무 동안 저는 환자의 혈액 수치를 꼼꼼히 확인하고, X-ray와 심전도를 체크하며 업무를 이어갔습니다. 그것이 저의 하루였습니다. 책임이 있으면 그 책임을 다할 뿐이죠.

댓글을 통해 돌아본 저는 꽤 대단한 사람이었습니다. 특별한 꿈도, 남다른 목표도 없었지만, 의대를 졸업하고 바이탈을 전공해서 환자들을 책임지고 있었습니다. 34시간씩 일하며 환자 때문에 마음 아파하고, 때로는 보호자와 언성을 높이며 다투기도 했습니다. 더 나은 치료를 위해 밤을 새워 논문을 뒤적였고, 보호자 앞에서 환자의 죽음을 설명할 때 도망가지 않고 그 자리에 서 있었습니다. 고맙다는 말을 듣기도 하고, 때로는 살인자라고 비난받기도 했지만, 큰 뜻 없이 시작한 내가 이 일을 잘 해내고 있었습니다. 도망가고 싶은 순간에도 그 자리에 남아 책임을 지고 있었습니다.

'흘러가듯 사는 나도, 이렇게 바이탈을 하고 있구나.'

거창한 이상이 없어도 충분히 누군가의 생명을 지킬 수 있다는 것을, 여러분들게 보여드리고 싶었고, 다행히 그 댓글을 통해서 그 성과를 이뤄낸 것 같아 기뻤습니다.

징벌 만능주의

'맹모삼천지교'라는 말이 있습니다. 맹자의 어머니가 아들을 위해 좋은 교육환경을 찾아 세 번이나 이사했다는 이야기죠. 저는 광주광역시 남구 진월동에서 초등학교부터 고등학교까지 졸업했습니다. 진월동은 교육열이 뜨거운 지역은 아니었지만, 조용하고 공부하기에 적합한 곳이었습니다. 친구들 대부분이 성실했고, 우리가 저지른 가장 큰 일탈은 '야자 도망치기' 정도였습니다.

대학을 졸업하고 나서야 비로소 환경의 중요성을 알았습니다. 고등학교 때는 의대 진학이라는 분명한 목표가 있었기에 흔들리지 않았지만, 대학에서는 달랐습니다. 구체적인 목표가 없던 저는 주변 환경에 쉽게 영향을 받았고, 특정 과의 단점만 들어도 지원할 마음이 흔들리곤 했습니다. 인턴 때만 해도 무려 3번이나 지원할 과를 변경했을 정도였습니다.

의사로서 처음 인턴 생활을 할 때, 동료들과 함께 코드 블루 소리만 들려도 즉각 달려갔던 기억이 납니다. 그런데 이제 그 동기들 중 일부는 심정지와 상관없는 과에서 일하고 나서부턴 그 소리가 아예 들리지 않는다고 하더군요. 한명의 안과 레지던트는 심폐소생술 방법조차 잊었다는 말을 농담처럼 하기도 합니다.

내과를 전공한 후, 대중교통을 이용할 때마다 응급 상황이 발생하면 어떻게 해야 할지 고민합니다. 10년 전이었다면 주저 없이 대응했겠지만, 지금은 다릅니다. 나의 행동 하나가 법적 책임으로 이어질 수 있다는 두려움이 늘 함께합니다. 사회는 의사들의 실수를 가차 없이 추궁하면서도, 역설적으로 의사들이 주저하게 만드는 분위기를 조성하고 있습니다.

정형외과 의사인 한 동기는 비행기를 탈 때마다 "와인 한 잔 마시고 곧장 잠들어버린다"고 말했습니다. 이 말속엔 묘한 무력감과 함께 우리 사회의 냉혹한 현실이 담겨 있습니다. 의사들이 자신을 보호하기 위해 응급 상황에서도 손을 놓게 만드는 이 현실. 문제를 해결하려는 대신 처벌로만 다가서는 사회는 최악으로 치 닫을 수밖에 없습니다. 법을 만능으로 여기고 징벌만으로 모든 문제가 해결될 것이라는 위험한 착각인데, 참 안타깝습니다.

N수생

'삼수생인데, 의대에 적응할 수 있을까요?'

수험생들에게서 가장 많이 받는 질문 중 하나입니다. 재수는 요즘 입시에서 흔한 일이 되었으니, 삼수쯤은 별거 아니라고 생각할 수도 있습니다. 하지만 당사자가 되면 겁이 나고 불안하겠죠.

의대는 의학전문대학원 도입 전후로 문화가 많이 바뀌었습니다. 의전은 일반 대학을 졸업한 사람들이 학사 이후 대학원으로 입학하는 경우인데, 군대나 대학 졸업 등의 기간이 있어 수능으로 입학한 학생들보다 연령대가 높습니다. 그 결과, 학번제였던 학교들도 나이제로 바뀌고, 쓸모

없던 상하 관계도 대부분 사라졌다고 들었습니다.

하지만 장수생들이 의대에 입학하면 중요한 것은 학번제나 군기 따위의 의대 문화가 아니라 자기 자신입니다. 장수생 중에는 '재수해서 인생을 안다', '현역은 생각이 어리다'는 가치관을 가진 사람들이 종종 있습니다. 이런 태도로 어린 동기들에게 가르치려 하거나 지나치게 어른 행세를 하면 동기들과 잘 어울리지 못하게 됩니다.

의대는 단체 생활이 매우 중요합니다. 1년 내내 조별 활동을 해야 하는 학년도 있을 정도죠. 의사 면허를 받으면 더욱 그렇습니다. 다른 파트 의사들의 의견을 자주 들어야 하고, 종종 아쉬운 부탁을 해야 할 때도 많습니다. 로컬 병원에서 일하더라도 새로운 처방이나 기술을 배우려면 겸손하고 친화적인 태도가 필요합니다. 또한, 의사 생활 중 인맥도 취업 등에 꽤나 중요한 역할을 합니다.

장수생이라서 특별히 어려운 점은 없습니다. 오히려 현역으로 입학한 동생들이 더 살갑게 다가오고, 의지할 수도 있습니다. 이럴 때 한때는 형으로서, 그러나 동기로서의 균형을 잘 맞추어 가르치는 대신 함께 경험을 넓혀가는 동료로서 행동한다면, 의대 생활에 큰 어려움은 없을 겁니다.

지방의대 출신

전 가톨릭관동의대 (구 관동의대)를 2012년도에 입학하여 졸업한 의사입니다. 지방의대 그중에서도 사립 의대 출신이죠. 수능 가채점 결과로 지원할 수 있는 의대 중 가장 확률이 높은 곳이 관동의대였고, 솔직히 말하자면 처음 들어본 대학교였습니다.

가톨릭관동의대는 강원도 강릉시에 소재의 대학교입니다. 광주광역시 출신인 제가 강릉까지 간다는 건 굉장히 이례적인 일이었습니다. 대부분의 친척들은 조선대학교 의대나 전남대학교 의대를 추천했지만, 당시 조선의대는 의학전문대학원(의전) 제도와 병행되던 시기라 고등학생을 뽑지 않았고, 전남의대에 가기에는 제 성적이 부족했죠.

친척들의 우려와 친구들의 축하가 혼재된 상태로 입학한 관동의대 생활은 생각보다 쉽지 않았습니다. 가장 힘들었던 것은 언제나 제 곁에 있어 줬던 부모님과 친구들이 없었다는 사실이었습니다. 또한 지방 사립 의대 출신이 제 발목을 잡을 수도 있다는 생각도 들기도 했습니다. 실제로 그런 생각을 하던 동기와 함께 예과 2학년 때 반수를 시도했지만, 돌아갈 곳이 있다는 안정감 때문인지 성적에 큰 변화를 이루지 못해 결국 관동의대를 마저 다니기로 했습니다.

여러 우여곡절 끝에 졸업한 후 돌아본 지방의대 출신으로의 삶은 생각보다 평탄했습니다. 지방의대 출신이라고 무시하는 동료 의사는 거의 없었습니다. 소수의 선생님들이 그러긴 했지만, 그들은 내세울 것이 학벌밖에 없는 것처럼 보였습니다.

수험생들 혹은 의대생들이 가장 신경 쓰는 사실은 '환자들이 지방의대 출신 의사를 거르지 않을까'일 것 같습니다. 저도 학생 시절에는 이 부분이 가장 신경 쓰였습니다. 내 실력과 상관없이 평가받는 일이니, 극복할 수 없을 것처럼 느껴졌죠.

하지만 중증 환자를 다루는 일을 하고, 피부과에서 일하면서 제 관점이 많이 바뀌었습니다. 학벌만으로 모든 걸 필터링하는 환자들을 치료하지 않는 일에 대해서 긍정적으로 생각해보게 되었습니다. 단 하나의 이유로 저를 거른다면, 오히려 그 환자가 저를 거르는 서로 마음이 편하더군요.

저는 대학병원에 남아서 교수를 할 마음도 없고, 스텝을 할 마음도 없기 때문에 이러한 관점을 가지고 있는 것일지도 모릅니다. 어찌되었든, 평범한 의사로 살아가기엔 지방의대도 꽤나 좋은 선택입니다.

바이탈과 논 바이탈: 의사의 선택

세계적으로 의사의 전공을 나눌 때는 크게 두 가지로 구분합니다. 수술과 비수술. 그러나 대한민국에서만큼은 '바이탈(사람 생명을 다루는 파트)'과 '논 바이탈'로 나누는 것이 더 합리적일 수 있습니다. 그 이유는 바로 의료 소송 때문이죠.

현재 대한민국은 역사상 유례없는 의료 소송의 홍수에 휩싸여 있습니다. 특히 다른 나라와 차별화되는 점은 형사 소송의 빈도입니다. 최근 우리나라에서는 '사람을 못 살린 죄'가 '사람을 죽인 죄'만큼이나 무거운 죄로 여겨지고 있습니다. 이러한 이유로 많은 의대생이 마이너(논바이탈) 과를 선호하는 것 같습니다.

바이탈을 경험한 의사로서 후배 의대생들과 동료들에게 하고 싶은 말이 하나 있습니다. 명예나 보상을 위해 바이탈에 발을 들이지 않길 추천한다는 것입니다. 오직 자기만족 하나만을 보고 들어가야 합니다. 본인이 살리지 못한 환자에 대해 경찰 조사를 받고, 보호자에게 형사 소송과 민사 소송을 당하더라도 '그래도 난 최선을 다했다'는 자기만족이 있어야만 이 길을 버텨낼 수 있을 것입니다. 제 스승님들이 그러셨던 것처럼요.

대한민국에서 심장 치료를 가장 잘하는 의료진이 모인 곳에서도 소송은 빈번했습니다. 저에게 아직까지 소송이 걸리진 않았지만, 언제 어떻게 소송이 제기될지는 모릅니다. 제가 지난 2년간 근무하며 겪었던 일중 일부에 대해 수년 뒤 소송이 걸릴 수도 있죠. 바이탈이란 그런 일입니다. 당장 소송이 걸리지 않더라도, 기록이 남아 있는 한 언제든 소송이 제기될수 있다는 불안 속에서 살아가는 것이죠.

현재 '존경'이라는 가장 값진 보상이 무너진 상황에서, 바이탈을 한다는 것은 쉽지 않은 일입니다. 하지만 그 모든 어려움을 이겨낼 수 있는 열정이 남아있다면 바이탈을 선택하는 것도 나쁘지 않습니다. 사람을 살리는 일은 생각보다 의미있거든요.

박수칠 때 떠나라는 없다

자꾸만 뒤를 돌아보게 하는 과거가 있습니다. 누군가에게는 첫사랑이 그럴 수 있고, 또 다른 누군가에게는 지금의 연인에게 했던 미숙한 고백이 그럴 것입니다. 대부분의 행동에는 약간의 아쉬움이 남기 마련이니까요.

고등학교 시절의 저는 모든 순간이 후회로 가득 찬 학생이었습니다. 중간고사나 기말고사를 볼 때마다 "아, 그거마저 외울걸!"혹은 '계산 실수했네.' 같은 생각들이 떠오르며 후회로 가득한 생활을 했습니다.

대학교에 진학한 후에도 매번 후회는 반복되었습니다. 더 나은 의대를 목표로 수능을 다시 보기도 했고, 지나간 연인을 붙잡으려 밤늦게 연락했던 얼빵한 순간들도 있었습니다

어떤 날은 제 환자가 세상을 떠나기도 했습니다. 그날, 저는 환자의 치료 과정을 다시금 되짚어보았습니다. 정말 내가 한 치료에는 문제가 없었을까? 죄책감을 덜기 위해 실수가 없기를 바라면서도, 한편으론 실수가 있었으면 좋겠다는 모순된 마음이 들었습니다. '그래도 살릴 수 있었지 않았을까?' 하는 생각 때문에.

나중에 전문의 자격을 취득하고 나서도 중환자의학이나 심장내과를 전공하려 했던 자신을 떠올려 봅니다. 이 일을 멈추는 날은 언제일까. 아마도 스스로 멈추는 일은 없을 것만 같았습니다. 누군가를 더 살릴 수 있다는 아쉬움이 저를 병원에 계속 묶어두는 희망이자 족쇄로 작용했던 거죠. 그렇게 생각해보면 어떤 끝을 맞이하든, 저는 아마도 박수칠 때 떠날 수 없는 의사였을 것입니다.

에필로그

어린 시절, 책 한 권쯤은 꼭 써보고 싶다고 다짐했습니다. 어떤 글을 써야 할지, 어떻게 써야 할지는 몰랐지만, 아무튼 글을 써봐야겠다는 생각만은 항상 있었습니다. 고전 문학을 읽은 날에는 소설을, 드라마를 본 날에는 시나리오를 끄적이기도 했습니다. 가끔은, 끄적이는 시간에 더 많은 글을 읽었다면 지금보다 더 나은 글을 쓸 수 있었을 거란 생각도 듭니다.

저에게 가장 소중한 기억 중 하나는 어릴 적 어머니와 함께 서점에 간 일입니다. 2000년대 초반에는 동네 서점이 지금보다 훨씬 발달해 있었고, 책을 구매하지 않아도 보고 나가는 게 흔한 일이었습니다. 어머니는 저와 누나를 서점에 풀어두셨고, 저는 책 속에 얼굴을 파묻고 정신없이 읽었습니다. 마음에 드는 책이 3권이라면 1, 2권은 서점에서 다 읽고, 3권만 사 오기도 했습니다. 가족과 함께 서점에 가는 날은 저에게 너무나도 행복한 기억으로 남아 있습니다.

나이가 들어서도 어릴 적 행복을 간직하고 싶었는지, 각 지역에 여행을 갈 때마다 저는 항상 서점을 들리곤 합니다. 김포, 강릉, 부산, 대전, 대구, 광주, 서울, 제주 등 다양한 지역의 서점을 방문하는 것은 마치 그 지역의 공항에 가는 것과 같은 설렘을 줍니다. 의사가 된 후에는 해외 여행지에서 병원을 슬쩍 보고 오기도 하지만, 그곳에서도 서점은 꼭 한 번 쯤 방문합니다. 그곳에 가면 왠지 모를 편안함이 느껴지거든요.

고등학생 시절, 어떤 직업을 가져야 할지 끊임없이 고민했습니다. 고민이 너무 많아서 부모님이 사주를 보러 다녀오시기도 하고, 저는 이과와 문과를 세 번이나 바꿨습니다. 나중엔 담임 선생님이 짜증 섞인 말투로 그만 좀 바꾸라고 하실 정도였습니다. 이과에 가서도 무슨 과를 선택해야 할지 고민이 많았습니다. 주변 어른들을 통해 고려하기엔 직업에 대한 선택지가 많지 않았고, 있더라도 세대 차이 때문에, 저와는 다른 관점이라고 생각했습니다. 그래서 그때마다 직업과 관련된 책을 읽곤 했습니다. '의사가 말하는 의사'부터 '시골 의사의 동행'까지, 직업을 소개하는 책은 거의 다 읽어본 것 같습니다. 그러다 보니 조금씩이나마 제 미래를 그려볼 수 있었습니다. 여러분들도 이 책을 보고 미래의 그림을 조금이라도 구체화 할 수 있으면 좋겠습니다.

책을 다 쓰고 나니 꽤 부정적인 내용이 많다는 피드백을 받았습니다. 희로애락을 모두 담아보려 했는데, 의도치 않게 '애'에 치중된 것 같습니다. 어찌나 걱정되던지 수험생이나 의대생들이 이 글을 보고 내과를 선택하지 않을까라는 망상이 들 정도였습니다. 그걸 극복해보자 여러 농담적인 요소를 넣어봤는데, 여러분들도 피식 웃었으면 좋겠습니다.

유튜브 금닥터를 보고 의대를 진학하게 되었다는 학생들을 많이 만났습니다. 실제로 금닥터를 보고 내과를 지원한 선생님들도 두어 명 뵌 적이 있습니다. 이제 이 책을 통해 내과 레지던트의 삶을 조금이나마 알릴 수 있어 기쁩니다.

제 과거의 행동들이 오점으로 남을 수도 있고, 이 글 또한 저를 옭아매는 주홍글씨가 될지도 모른다는 생각에 출판을 망설였습니다. 그러나 그 모든 것 또한 저 자신입니다. 환자 때문에 울고 웃으며, 보호자와 다투던 순간들이 모두 제 커리어의 일부이기 때문입니다. 읽어주셔서 감사합니다.

언제나 큰 힘이 되어주신 가족, 동료, 그리고 독자 여러분들, 그리고 제가 아프길 진심으로 바랐던 분들도 항상 건강하길 바랍니다.

글을 읽어주셔서 진심으로 감사드립니다.

그렇게 죽을 환자는 아니었는데

발 행 | 2024년 10월 17일

저 자 | 김정근

펴낸이 | 한건희

펴낸곳 | 주식회사 부크크

출판사등록 | 2014. 07. 15. (제2014-16호)

주 소 | 서울특별시 금천구 가산디지털1로 119 SK트윈타워 A동 305호

전 화 | 1670-8316

이메일 | info@bookk.co.kr

ISBN | 979-11-419-0868-3

www.bookk.co.kr